서로의 춤을

　　　　받아주는 것만으로도

서로의 춤을
받아주는 것만으로도

조다움 시집

마카롱

차례

1장

연애시 수업

난 때론 너의 초록 잎사귀가 될까 봐

그래 날 바라봐

내게 기대어 힘든 날 쉬어봐

늘 나보다 나를 더 잘 알던 그대에게

짐이 될까 봐 겁이 나지만

네가 조금은 상기된 표정으로 나를 바라볼 때

내 젖은 마음으로 네가 쉴 그늘을 만들기 위해

난 오늘도 너를 더욱 사랑할 거야

우리가 평행선이 되어 일생을 살아간대도

너의 이마와 눈썹과 눈망울과 콧등과 입술을 바라볼 수

있으니까

너의 입꼬리에 날마다 좋아요가 붙을 수 있는

그런 날들을 만들어주고 싶어

내 연약한 늑골을 너의 품에 드리우고

난 때론 너의 초록 잎사귀가 될까 봐

설사 네가 날 맛있게 먹는대도 내겐 사랑의 방식이니까

추워도 따뜻할 수 있었던 건

너를 지켰다는 사실이 내게 사명감을 더해준 거니까

단 한 번 사랑했고 그게 너였고 마지막이기에

나는 오늘도 우리의 평행선들마저

들끓는 이 하루마저도

가만히 네가 바라봐주기를 기다리고 있을게

투박한 나의 마음이 책잡혀 괴로울 때

나는 그대에게 전부를 던지지 못하고

한참을 사시나무 떨듯 이기심과 욕심에 몸서리칠 때

게으르고 실수투성인 나는 너를 사랑하면서

조금씩 변화하고 새로워질 수 있음을 기억하면서

너를 있는 그대로 사랑하기에

절대로 절대로 절대로 포기하지 않기

내가 먼저가 아닌 너를 생각하는 마음으로

나를 향한 배려가 아닌 오로지 너를 위한 희생으로

그렇게 바다 한가운데 조난한 영화처럼

너를 마지막까지 안간힘으로 보살펴주고 싶은 글썽거림

양파처럼 한없이 눈물 나게 하는 그런 사람일지라도

오직 너에게만큼은 결코 차가운 눈물 되지 않기를

지금 사랑하는 사람과 한평생 그리워하기를 사랑하기를

사랑의 안과 밖이 사라진 웜홀처럼 다 사라진 후에도

하루의 단조로움 속에 깃든 행복을 간직하기를

이생의 마지막 안녕을 당신에게 빌기를

연애시 수업

나는 그대가 귀찮은 줄 알면서도

자주 안부를 묻고 싶습니다

그대는 이런 내게 가끔 핀잔을 주겠지만

나는 사랑의 속삭임이 더욱 깊어야 한다고 생각합니다

쉬이 바람 드는 일처럼 우리가 자주 보고 만나야

뿌리가 내리고 싹이 피고 꽃과 열매를 맺을 것입니다

나는 그리움을 선천적으로 타고났지만

꼭 그리 단정 지을 일만은 아닙니다

그것은 사랑할 대상이 있기에 누리는 특권과 같습니다

그대는 설움에 찬 바람 소리를 구별할 수 있던가요

나는 그 소리가 피리 구멍처럼 혼자 내는 것임을 압니다

이토록 고귀하고 찬란한 사랑은

내가 그대의 안부를 묻고 그대가 나의 소식을 전해 듣는

일종의 아름다운 대화인 셈입니다

깊고 넓고 아득하여서

목소리라도 듣지 않으면 몸서리치는 일입니다

사랑할 사람이 있다는 것은 축복입니다

눈물을 머금고 하루하루 버티는 그 사랑은

우리가 살아 있는 유일한 이유이기에

나 죽어도 보내기 싫은 그 사랑을 가슴에 묻고

일평생을 먼지처럼 떠돌아 사라진대도

사랑할 그대가 있어 외롭지 않습니다

눈물이 고이고 피가 고이고 낯빛이 흐려져도

그대를 마주치면 나는 기쁨을 입고

어느새 그 눈망울에 사는 손님이 되기에

몇 번을 죽어도 다시금 그대 곁에 머무를 것입니다

그대 편에 내가 설 수 있는 것은

지고 있는 내 사랑이 휘어짐과 버팀과 외로움뿐만은 아
니고

끝내 아름다운 추억이 될 것임을 믿기 때문입니다

나의 연애시 창작은 영원히 지속될 것입니다

아파할 사람이 있다는 것은

이 세계를 제 마음에 들이는 일입니다

*

당신이 잠든 사이

우리가 가장 평화로운 시간은

바로 잠의 어깃장에 취하고 있을 때다

서로 다투어 버겁고 얼룩진 하루를 보내다가도

잠이 든 그대를 바라보고 있으면

착한 연민이 들끓고 있음을 발견하게 된다

세상 가장 순수한 사람이 되어

날카로운 이빨과 송곳들까지도 천사의 얼굴이 되는 것
이다

그 무통 주사를 통해 우리는 처음 만난 때를 떠올리고

우리가 가장 사랑했을 때의 표정을 기억하게 된다

땅거미 진 그대의 푸른 눈가에서도

첫눈의 계절을 맞이할 용기가 새로 생기는 것이다

이 사람의 본모습을 내 그늘이 얼마나

세월에 물들게 하였는지 되뇌어본다

추억들의 주름과 메마른 얼굴에 보이는

한 인간을 향한 변함없는 사랑과 순수와 친근함

늘 등 뒤에서 바라봤던 그 사람의 비스듬함을

점자 책 읽듯 만지다 보면 서글퍼지는 것이다

그곳에서 나를 읽는 그 사람의 측은함이 왈칵 떠오르기

때문이다

함께 읽고 쓰고 마음을 더하면서

시간이라는 정당한 사유를 우리 잘 가꿔보자

이 세상 찬란한 것들, 그것들의 가장 아름다운 밤을 지키며

하루하루 시처럼 별처럼 살아보자

읽고 쓰는 말이 아니라 정말 시가 되어보자

그러나 난 아직 시를 모르고

내가 아는 유일한 시는 바로 너이기에

너에게 한없이 잇닿은 사랑이기에

아무도 찾는 이가 없어도

너에게 쉼을 주기 위해 마음을 쏟아 보인다

일평생 시가 되어 젖어 흔들리는 마음을 붙잡는다

쓰라리고 무너지고 뒤집힌 하루를

몸으로 껴안아 바람이 되고 기억이 되고 숨이 되는 것이다

너와 주고받은 모든 메시지가 바다라면

나는 온종일 당신이라는 눈물샘, 그 염전을 지키는

가장 거룩한 잠의 쓰임들, 격렬비열도가 되고 싶다

속뜻

그대와 내가 하는 말에는 속뜻이 있습니다

그것은 늘 신뢰에서 시작된 발화이기에

어떠한 짓무름이나 상처도 없습니다

내가 무심코 그대의 속뜻을 놓쳤을 때도

그리 놀라거나 당황할 필요가 없었습니다

속뜻은 속뜻마저 품고 있는 젖니 같은 것이기 때문입니다

내가 참으로 그대를 사랑하는 이유도 여기 있습니다

그대는 나를 한 번도 다그치거나 재촉한 적이 없습니다

그저 마음 가는 대로 그대는 나의 순전함을 헤아리는

유일한 사람이라서 나는 나의 속뜻이 참으로 떳떳합니다

그대와 오늘 나눈 속뜻은 아프지 말라는 말이었습니다

그대는 나에게 가장 알맞은 직업과 운동과 공부로써 살

라고 말합니다

나는 시를 쓸 때 속뜻을 남기는 버릇이 있습니다

그대 저릿한 가슴으로, 나를 같은 마음으로 바라봐주는
당신의 속뜻

그저 홀로 피는 꽃이 없듯이 그대를 생각하면

가슴에 금이 간 것처럼 자꾸 시립니다

내내 떨어지려 할수록 더욱 짙어지는 그리움이기에

사랑밖에 모르는 나와 너는 그런 사람이기에

천천히 시를 쓰듯 그대를 새기는 동안

그대는 찬가가 되어 사랑의 속뜻을 노래합니다

사랑이 깊어지는 만큼 무수한 상처들이 덤비겠지만

그곳에서 그대를 만나, 그대를 느낄 수 있으니

이 또한 사랑의 날들에 대한 새옹지마였다고

아, 긴 터널을 참고 견뎌내면

마침내 바람 부는 봄날이 찾아온다고

그대는 제 시를 읽지 않고서도 속뜻을 아는 참 고마운 사
람입니다

저 별천지에 빗대어 그려보는 것입니다

나 그대를 헤아릴 방법이 없어 따갑게 울고

그 뼛조각 같은 그리움이 가슴에 박힌 채로

그대에게 다가가려 합니다

그대에게 마음을 빼앗겼던 우리 처음 만난 날

그때의 진실된 사랑에 눈을 흠뻑 감아봅니다

나 이토록 부족한 사람이지만

그대에게 가는 길이라면 어떠한 수고도 감내하겠습니다

사랑의 열병을 앓고 난 후 배웠습니다

확실한 사랑은 변하지 않는 믿음으로 우두커니 머무는 일

늘 그대를 위해 생각하고 살아가고 함께 할 일들을 계획

하는 게

제게는 크나큰 즐거움이며 감동의 순간입니다

그 길이 멀게만 느껴질지라도 나는 마지막까지

그대라는 자리를 꼭 지키고 싶습니다

내가 이 세상에 태어난 이유는 다름 아닌 그대이기에

오늘도 비가 내리는 골목길에서 그대와 마주칠까

밤새 오지 않는 그대를 마음으로 기다립니다

사람들은 말합니다

우리의 사랑은 진부하다고, 낡고 투박하고 서툴다고

세련미가 없어 무언가 부족해 보인다고

그러나 우리가 별이 빛나는 밤을 사랑하는 것은

어떠한 클리셰가 만들어놓은 오감의 사랑이라고

저는 당당하게 말하고 싶습니다

무엇이 되었든 간에 진심이 담겨 있다면

나로부터 시작된 엄청난 사건을

감히 그 그림 곁에 함께 놓을 수도 있다고 말입니다

그러니까 내가 그대와 제일 먼저 하고 싶은 일은

제 마음에 담긴 그대를 향한 마음을

저 별천지에 빗대어 그려보는 것입니다

그렇게라도 하지 않으면 그대가 내 마음을 알아채지 못할 테고

나는 별처럼 눈을 감고 먼지가 될 때까지 아파해야 하기 때문입니다

찢어질 것 같은 인연

콧등보다는 낮고 입술보다는 조금 높은

그곳에 허전한 마음과 자존심이 있다

그때의 미간은 움푹 팬 뭐랄까

수면 위로 떨어지는 빗방울의 파문 같다

휘어지도록 사랑하다가, 인연을 버티기만 하다가

마른 고목처럼 겨울 폭설에 우지끈 부러지는 것이다

느껴지는 것을 모두 헤아릴 수 있다면

식물의 뿌리처럼 무수한 갈래로 휘청이는 일들도

서로의 이별에 필요할지도 모르겠다

사소한 것들의 의미가 쌓이고 쌓여

마른 장작을 환히 빛내는 것처럼,

식었던 순간과 뜨겁던 순간이 하나로 여겨지고

물처럼 흐르다가 메마르고 다시 눈비가 내리는 것처럼

자리에 앉아 준비된 마음을 가다듬어

당신에게 담담히 이별을 고하고

어떤 거대한 느낌 안에 흐느낌만으로 머무르는 일

가슴속 서랍마다 답답함이 아려올 때

그늘에 피는 꽃처럼 우박을 맞더라도

이별은 더욱 이별다워야 한다

내 평생의 절필이자 마지막 봄물처럼 흐르는 시간 속에서

우리들의 미소는 해거름과 같다

더 이상 침몰하지 않으리라

꿈을 꾸듯이 잊힌 기억마다 그 너머로

새로운 옷을 서로에게 지어 입히자

아름다운 우리의 만년설을 꿋꿋이 지키자

그대와 나의 긴 세월이
악필을 건너갈지라도

나의 연애는 필체 안에 포옹이 있었다

끝끝내 벼랑 같은 갈등이 깊어져도

오랜 사랑의 갓등 하나를 품고 있었다

흰 밤이 오면 모든 잘못이 이곳에서 용서됐다

우리의 혼인 신고도 비로소 잉크처럼 굳어간다

그대와 나의 긴 세월이 악필을 건너갈지라도

우리는 절대로 잊지 않는다

오직 한 사람을 사랑해왔던, 애타던 적심

난 그 모습을 차마 지켜볼 수 없을 것 같아

네 맑은 모퉁이에 내 따뜻한 감정이 고이고

시간이라는 궤적에 너라는 이유가 살고 있겠지

서툴기만 했던 젊은 날들이 꿈만 같다

난 다 알 수 없을 것만 같다

네 예쁜 미소 속에서 얼마나 큰 사랑이 숨 쉬는지

그 햇살에 우리의 마음이 닮아가듯

너는 오늘도 셀 수 없을 만큼 밝게 쏟아졌다

어떤 맘으로 살아야 할까

너를 맘에 들이고 난 뒤 내게 묻는 것들

감정의 조바심도, 이 노래도

널 위한 나의 고백이란 걸 너는 알고 있을까

제목부터 목차까지 너로 아름다운 생각을 했다

그게 가능하다면, 네가 좋다면

너의 맘에 다녀간 후부터

사랑이라고 믿고 싶었다

그대의 베개를 끌어안고

나보다 그대를 더 잘 아는 물건이 있다면

그것은 우리의 라벤더 무늬 베개입니다

그대의 두 뺨에 가만히 떠오르는 아침에

베개를 끌어안고 그대 없는 하루를 시작합니다

그대가 멀리 있어도 나는 그대의 체취를 맡으며

그대의 날들을 애써 가슴에 묻지만

우리가 잠시 떨어져 있는 날들이

서로를 더욱 간절히 사랑하게 한다는 것을 알기에

베개를 정리하며 허전한 마음을 추스릅니다

지금껏 그대를 하늘에 뜬 별처럼 사랑하였으니

그대가 아닌 곳은 헤매지도 어슬렁거리지도 아니하였으니

세상 어여쁨에 취하지도 한눈팔지도 아니하였으니

우리는 흩어져 살다가도 없으면 안 될 운명이 되었으니

풀린 신발 끈을 묶는 동안에도 그댈 위해 무릎 꿇었으니

나의 모든 사랑이여 꿈꾸는 자여

나는 이미 그대에게 사로잡혔으니

그대를 향한 기쁨으로 애피타이저를 준비하리

그대와 마주 봄조차 숟가락 부딪히는 소리처럼 정겨웠
으니

온기로 따뜻한 그릇을 잡고 내내 당신의 체온을 느끼리

그대와의 어여쁜 신혼 기록을 아름다운 추억으로 간직
하리

새벽에 문득 잠에서 깨 빈자리에 아리다가도

그대가 만들어놓은 우물에 비친 그대 모습을 떠올리며

다시금 그대를 만나려고 베갯잇을 끌어안습니다

그대는 알고 있나요

내가 그대를 얼마나 미친 듯이 사랑하는지

가난한 내가 오늘도 글을 씁니다

가난한 내가 오늘도 글을 씁니다

편히 쉴 그늘을 만들기 위해서

그대는 가을에도 나가고 겨울에도 나가 눈사람이 될 때

나는 내내 곁에서 꿈을 꾸다가

게으른 베짱이가 되어 사랑을 노래합니다

그대가 비스듬히 잠긴

12월의 함박눈도 가을의 코스모스 풍경도

언젠가 그대가 만들었던 화전처럼 예쁘게 기억됩니다

내 삶의 희망이란 그대만을 존경하는 일

사랑의 일기를 쓰는 이 시간이 나는 참 좋습니다

우리는 아이 같아서 깊은 꿈의 환영에 빠지기도 하지만

이내 그것들을 헤쳐 나아가며 어른이 됩니다

나를 어른으로 만들어준 것은 그대의 수고와 땀이었으며

우리가 가장 어른스럽게 만난 곳은 그대의 눈물샘 부근

이었으니

어찌 그대가 나의 꿈의 자리에 제일 먼저 드리우고픈

소중한 내 드리머가 아닐는지요

이 꿈은 내 생애 유일한 사랑의 근거지랍니다

그대는 우리 사랑의 진의가 죽어야만 드러날 것이라는

심오한 말을 하였습니다

그대의 발자취를 따라 나는 시간의 안과 밖에서

어떤 그리움의 허공에 마지막 잎새를 띄워봅니다

그대는 늘 흔적을 남기기에 나는 가장 슬픈 곳에 남아

그대의 철학을 밤새 탐구할 것입니다

그러다 문득 유레카를 외치는 순간

나도 죽음의 일부분이 되어, 없음으로 없음이 되어

그대의 문장만 가리키고 싶습니다

그대는 하나뿐이고, 영원한 상처의 집이기에

나는 세상의 모든 버림받은 이들의 마지막 모유가 되고
싶습니다

그대가 나에게 그러하였듯이 나도 그대를 마음에 새기고

영롱한 이슬처럼 빛났던 눈빛마저 그대에게 감춥니다

호위

난 몽환으로 가는 중입니다

그렇다고 당신을 놔두고 가는 법은 없습니다

우리는 거대한 비눗방울을 타고

함께 저 너머를 향해 날아가는 중이라고

어떤 희망이라는 것을 둥글게 불어 말아보면

당신의 둥근 칫솔과 내 칫솔은

물거품이 필요한 세상 아래로 밤새 메말라가고 있습니다

나는 이대로 자족할 수 있을 것만 같습니다

그것은 당신이라는 달이 만든 나의 자장이니까

우리는 한 쌍이 된 그리움이라서

서로를 향한 넉넉한 미소가 무지갯빛 비늘처럼 빛납니다

지금 그대가 잠든 머리맡 뒤로 바닷물이 빠져나갑니다

나는 곤히 잠든 그대 곁에서 그대의 선한 눈가에 떠 있는

조각배가 되어 내일의 바다를 기다리고 있습니다

1장 연애시 수업

그대가 잠든 풍경은 마치 고원 같습니다

나는 꽃잎이 날리는 고원의 계단을 매만지며

오늘 하루의 임무를 가장 잘 지키고 있습니다

그대의 발바닥은 자라 같아서

우리의 해저 깊은 밤까지도 감각할 수 있을 것만 같습니다

당신은 나를 기다리다 잠이 들었을 테고

이미 나보다 먼저 시를 쓰다 그다음 페이지를 열고 있을

테지요

멀리서 우리를 감싸는 별똥별들이 문장처럼 떨어집니다

우리는 풍등을 매달고 서로에게 입맞춤을 합니다

나 여기 있으니 그대여 아무 걱정하지 말아요

이제 곧 달콤한 꿈속 나라에서 그대를 호위하기를

우리가 살아간다는 것은

내 사랑하는 당신, 오늘 무슨 일 있었나요

말할 수 없는 침묵으로 힘없이 돌아오는 당신의 뒷모습이

마치 눈물겨운 작약꽃 같습니다

오늘만큼은 그대가 편히 쉴 수 있도록

의미 있는 일을 한 가지 하려고 합니다

어수룩한 내 마음이 부담을 드릴까 봐

오늘 하루는 그대 혼자 조용히 울 수 있도록

시간을 내어드리고 싶습니다

혼자 여행을 떠나고 싶거든 그렇게 해도 좋고

가슴이 필요하거든 나에게 안겨도 좋습니다

세월은 우리의 뒤안길에서 때론 힘들게도 하지만

그래도 나 가만히 그대를 끌어안고 잠시만 기도가 되고 싶습니다

그대가 쉬이 안정을 취할 수 있기를 빌고 또 기원합니다

나의 그대여 우리가 살아간다는 것은

아직 함께 울어줄 서로가 있기에 더욱 아련한 것입니다

지난겨울 폭설에 돌아갈 길이 막막하였을 때도

우리는 침착하게 하늘의 별자리를 찾아보곤 했지요

그대가 아주 먼 마음의 수렁에서 나를 잊어버린다면

그때 나침반은 무엇이 될 수 있을까요

그것은 아마도 우리의 처음 자리가 아닐는지요

흐린 마음속에서 진창을 헤매는 날이 찾아오면

발이 빠진 구덩이에서 복잡해하지 말고

그저 가만히 우리의 처음을 기억해보는 것은 어떨까요

서로의 숨소리조차 싫어지는 날이 오면

그대가 나를 미워하는 동안

나는 묵묵히 그대를 일으켜줄 새로운 길을 찾고 있을 테
지요

그러나 그대는 나에게 그리하지 않을 것을 알기에

우리란 추억을 나침반으로 새겨둡니다

세상의 모든 어둠이 한데 뒤섞여 잠시 멀미가 나도

우리는 꽃말을 기꺼이 맞습니다

그 사랑이 마음을 정화시킬 때까지

나는 빗장을 걸고 내리는 여우비를 머리부터 발끝까지
맞습니다

나는 죽어서도 그늘의 후예가 되어 그대의 곁이 되고 싶

습니다

　그대가 한없이 나를 그리워하는 그런 세상에 없는 음악
이 되고 싶습니다

내 몸에서 지는 그대의 눈썹과 손끝

내 몸이 저녁노을처럼 찢어지듯

삶이 그런 것이라고 무의미한 말을 되뇔 때

나는 다시금 그대와의 열애를 시작하고 싶습니다

거꾸로 자라나는 생각의 소용돌이 속

그대와의 한 몸과 낯익음과 가능했던 전부를 꺼내서

우리는 남몰래 눈먼 사람들이 되어

온종일 붙어 있고 온종일 길거리를 쏘다니고

잠 못 이룬 그리운 날들을 기억할 것입니다

설사 해가 지는 그런 아픔이 찾아올 것을 안다 해도

우리의 열애는 단 한 번뿐인 사랑처럼,

평생을 앓다가 온 사람처럼 세상에 하나뿐인 마음과

세상에 다신 없을 사랑으로 마무리를 불사를 것입니다

열애는 소중한 그대와의 영원한 포옹입니다

내 몸에 새기고픈 그림이 있습니다

그것은 보드랍기도, 반듯하기도, 모가 나 있기도 하지만

그대라는 말을 가장 부드럽게 그려줄 떨림이기도 합니다

내 몸에서 지는 그대의 눈썹과 손끝은

혈관에 흐르는 혈액처럼 푸르고 눈부십니다

날마다 우리의 하루가 이렇게 오고 갔으면 좋겠습니다

운명 같은 우리의 동거로 인해 서로의 수취인이 되었으면 좋겠습니다

아무도 없는 현관 앞에 이름 모를 편지가 쌓여도

그것들을 날마다 읽어주는 사람이 있다는 것을

그 안도를, 그 복받침을, 그대에게 자꾸 알려주고 싶기 때문입니다

내 사랑이 한 장의 여백이라면

나는 물먹은 종이에 깜지를 쓰는 사람이 되고 싶습니다

잠이 오지 않는 그런 밤에는 이윽고 내가 나를 자꾸 잊어버리겠지만

당신을 처음 만나 사랑하고 애태우고 기다렸던 무수한 날들이

지금은 살결 보드라운 우리들의 흐느낌 같기에

내게는 파지에 쓸 것이 아직도 많이 남았습니다

내 안간힘과 별 볼 일 없음과 작은 마음 앞에

그대를 영영 놓칠까 봐 두려움에 마음을 적신 적 있습니다

오지 않는 전화에 누군가의 목소리가 들리고

다시 이어갈 생이 있다는 것은

내게서 슬픔을 그리움으로 바꾼 사소한 소란이었습니다

죽어도 못 잊을 그대여, 나의 전부여, 귀신이여!

나는 그대를 잊지 않기 위해 날마다 서산으로 기울어 울고 있습니다

사랑 표류기

삶의 무료한 뗏목 한 척이 썩는 데는

모든 사랑의 무늬마다 초현실이 슬어 있다

마침내 찢어지기 위해 다시 태엽을 감는 시간이란 쌍두
마차

붉은빛 가루약을 온몸에 칠하고서

끈끈이로 몰려오는 것들은 속눈썹을 거부하고 있다

불티 끝 말씀을 단 성지들

성한 곳 하나 없는 어둠이 헐거운 귀걸이가 되어 피거품
을 만들고 있다

이끼들 같은 뼈의 그늘이 시간을 질척이듯

모든 동력은 무계획이거나 울타리를 치는 일

시대의 결벽증에 물티슈로 눈시울만 닦았다

생의 홀들이 머지않은 한 발을 기어코 절고 간다

하나에서 열둘까지 재채기로 넘겨온 선홍빛 근원의 얼굴

허를 찌르기 위해 온몸의 되먹임을 끌고 오는 민낯의 좀
비들

그 곁에서 멱살을 잡고 사투하는 시침의 인질극이 막장이다

가마에 넣기 위해 직립은 일생을 양치질만 시켰다

모두가 하나의 배꼽으로 걸어 들어가는 슬픈 실마리

꽃살 무늬가 그리는 파문에도 한껏 고조되고

악천후의 삶이 다 빠져나간 희디흰 흉가 한 채

영혼의 국제 영화제 시사회는 이미 시작됐다

해바라기 기름과 날갯죽지와 산악자전거와

최신형 그릴과 화병이 담긴 난파선을 떠올리며

크레인 속으로 깊숙이 부리를 걸며 무게를 달고 나오는 일

그 무수한 게릴라들이 한 모티프로 산다는 건 수중(水中)
의 일이다

이상한 상자를 밀고 쌓고 껴안고 불어넣다 보면

바다에 쏟아진 상자를 바로 세우는 것도

찌그러진 상자를 다시 펴는 일도

어린 뗏목을 잘 알고 사랑하는 이들의 몫이다

진단 키트 속에서 나는 우리를 만들고 있는

또 다른 콘텐츠를 보기도 하였으나

파문은 비교적 충분한 아우름을 가지고 있다

내일의 품과 무풍지대를 단어장에 옮겨 적는다

어느 날 뗏목은 최후의 변론을 준비할 것이다

우리는 지금 냉동보관창고로 이동하는 중이다

세관에서 검증받은 포유류가 컨테이너에 쌓여 있다

시를 읽는 당신에게

그렇지? 지금 내가 미운 거지

자꾸만 우릴 밀어내는 공기가 커져버린 거지?

나만의 세계가 너의 가슴속에선 반갑지 않은 거야

그럴 때마다 우리의 처음 자리를 생각해

너를 만나기 전 가랑잎 얼룩 같던 마음집

누구나 한 번쯤 고비를 만나고 실패를 맛보기도 하지

그런데 말이야

이 계절을 지나야만 깨닫게 되는 지점이 있어

그건 바로 너에 대한 나의 눈시울

우리가 사는 겨움들 속 너의 눈물겨움을 생각하다가

오늘 처음으로 네게 고백을 했어

그때 시가 내게로 찾아온 거야

마음의 수렁 같은 빈 고요 앞에 우두커니 나를 바라보던 빛

아름다운 옷을 입히고, 조명을 비추고

주인공과 소품을 정하는 미래에 네가 자주 나타나

그때의 성실함과 진정성으로 최선을 다해 살길 바라

차분히 밀고 나가는 힘이 네겐 있으니까

네 기분 좋은 하루에 친애하는 돌개바람이 마구 들이닥치
길 바라

덧니 하나 품지 못한 봄밤이었지

사람들은 저마다의 돌 인형을 손에 움켜쥐고

세상의 실루엣을 그려내기 시작했지

나도 사랑의 여백을 모서리부터 물들이는 중이었어

그런데 우린 그만 조바심이 생기고 말았지

난 읊조림을 시작하기 전 마음을 들여다보고 싶었으나

어느새 두려움을 떠안고 감기약 먹듯 문장을 써내고 있
었던 것은 아닐까?

사랑의 공깃돌을 놓는다는 건 망설임에 용기를 내는 거
니까

꽃샘추위 다녀간 뒤 심호흡을 배웠지

두 눈을 감고도 한참을 몰입할 수 있는 것

설사 허사로 돌아갈지라도 긍휼을 입을 수 있다는 믿음

종이를 가지고 여행한다는 건 소중한 시간이기도 하겠지

사랑은 무의미한 글들로 한바탕 노는 것이지

시험이 아니라 마음의 놀이터로 나와 찬찬히 종이 인형

을 오려보는 것이겠지

　　너무 두려워하거나 망설이지는 마, 푸른 맷집이 생기는
중이니까

　　필연과 우연이 만나는 극적인 삶까지도 즐겨보자

　　다시 전열을 가다듬고 사랑을 위한 찬가를!

2장

거위 간을
들키지 않으려고

내가 사랑의 시를 쓰는 이유

내가 사랑의 시를 쓴다고 해서 이별이 없었겠는가

무수한 엇갈림과 억측과 오해와 편견 속에서

세상의 문드러짐을 어찌 다 말하겠는가

내가 아직도 오지 않는 사랑을 그리워하듯

날마다 날마다 그대를 부르는 까닭은

내 사랑이 시작되고 멈추는 그곳에

무거운 숫돌 하나가 마음을 짓누르고 있기 때문

오로지 사랑의 시를 쓸 수 있는 것은

기다리는 자의 비극이 더 아름다울 수 있기 때문

나는 뜬눈으로 맞이하는 이 새벽에

간절한 마음 하나를 수란처럼 깨뜨린다

내가 사랑의 시를 쓴다고 하여

사랑이 어느 날 나에게 찾아오는 것은 아니지만

이미 지나가버린 사랑의 가엾음에

나는 오늘을 깨끗이 불태우고 싶다

시린 눈송이처럼 바깥에서 들여져 와 번졌었기에

추억을 적시던 너라는 오래된 사투리마저도

가끔 헤매는 길을 만날 때 손끝 너른 안음으로 추억해본다

툭툭 털어내듯 새 모양의 소리로 일어서는 시간이란 맞
바람과 함께

네 물음의 시작과 끝은 지평선이 아니었다

잿빛의 망설임이 아니었다

액자식 구조의 환상처럼, 다시 명명할 그것처럼

우리가 빠진 블랙홀은 뜨거워질 수 있을까

내게 아직 그리움만이 전부라는 것은 이 하릴없는 시간
을 분주하게 만든다

흐느낌만으로 오늘 너라는 입김을 찬바람에 지워본다

이상을 바라보는 단 하나의 별을 떠올리며 눈을 감는다

시간이 고여서 일평생 멀미를 앓으면

눈썹의 곤함은 어떤 연유로 힘겨워지는 걸까

사람의 손톱이나 눈빛을 보면 알 수 있다

우리는 언젠가 모두 새들의 먹이가 될 것이다

나머지의 나머지를 향해 영원한 사랑의 시를 기다리는 것

문득 패인 저녁에 고흐의 귀로 울고 싶어졌다

나는 단 한 번도 사랑의 시를 쓰지 아니하였으나

나의 마음이 먼저 그대에게 동하여 사랑을 시작하였으니

이 사랑의 결말은 비극도 눈물도 아닌

처절한 에움길에서의 복선 같아라

사모

우리는 마음이 눈물주머니로 채워진 사람들

안쓰럽고 그립고 서러워서

못내 안지도 못하는 날이 오면

더욱 그리워할 생떼 같고 살가운 사람들

죽어도 그대 아니면 안 되기에

도무지 주체할 수 없는 눈물로 영혼을 울리고

마지막 가슴을 치는 끝 사랑

가진 것이 없기에 더욱 끌어안은 그대란 외로운 별

오늘 나를 위해 울어주는 당신이 참 고맙다

세상 어디를 둘러봐도 그런 사랑 없기에

그 사랑은 나를 날마다 깨우는 신비와도 같다

누구보다 나를 온 마음으로 사랑해주는

그대란 바다에는 그대가 준 옛 가죽신 하나

내가 나를 복종으로 쳐서 울리는 소리처럼

나는 그렇게 매일을 사는 휘모리다

진즉 사랑에 빠져버리면

죽음보다 고통스러울 것을 알고 있음에도

무작정 어쩔 수 없는 강을 건너고야 말았다

그대는 아는가 한 남자가 아무런 준비 없이

타향살이를 결심할 때의 몸서리침과 뼈아픔과 눈물겨움은

이내 가슴에 사무치는 뼈저림이라서

그대를 두고도 어찌할 수 없는 나의 연약한 사랑은

멀리멀리 그대 곁에서 떠나야만 하는 것이다

그대여 나를 오로지 붙잡아줄 절체절명이여

눈 감고도 사랑을 알아볼 나의 시린 가슴에

그대는 아직도 찬바람에 나부끼는 서리가 되는가

내가 그대를 그리워하는 것이

나를 죽게 만드는 별안간이라서

나는 날마다 죽고 또 태어나 그대를 사모한다

사파리 투어

우리가 처음 만난 그곳으로 소풍을 떠나는 것은

서로를 더 기억하고 그리워하고 싶은 것

세상의 주인공이 너라는 것을 깨달았던 그때의 노력들이

이제 와 새삼 내 발끝에 챌 때마다

오늘 하루도 스스로 반성하곤 해

너를 처음 좋아했던 감정들이

지금 삶에 치여 얼마나 희석되었는지

괜스레 미안한 마음에 너와 서커스를 다시 보고 싶은 날

이지

많이 힘들었을 거야 무뚝뚝하고 모자란 내 곁에서

발걸음을 포개어 맞추는 것이

너에겐 사파리 투어를 가는 기분이었을 테니까

그렇지만 지금 우린 그때의 추억을 아직 간직하고 있어

아픈 날에도 그때의 순수했던 진심을 비춰 보며

오늘처럼 전쟁 같은 삶 속에서

외로이 혼자 보내고 있지 않음에

네게 얼마나 감사한지 말로 이루 다 표현할 수가 없어

'사랑해'라고 그때의 앳된 마음으로 다시 고백하고 싶어

네가 곤히 잠든 모습에 회전목마를 타고 있던

따뜻한 추억을 다시 보는 것만 같아 너무 행복해

이제는 한 자 한 자 써 내려간 너를 위한 시들이

더는 부끄럽지 않은 나의 용기가 되길 희망해

너무 사랑해서 말을 아끼게 되면

그것도 무심한 오늘이 될까 봐서

틈틈이 네가 생각나는 그런 날에

이렇게 펜을 들고 너를 다시 그리워한다

곁에 함께 있어준 것만으로

오늘 하루가 천국 같고 기적 같은 기분임을

너는 알고 있을까

나 때문에 홀로 고생하는 네 마음이 너무 안쓰러워

오늘 집으로 돌아오는 길에 화관을 산다

투박하지만 아주 잠시라도 네 마음에 향기를 내어주고
싶어

늘 쿵쾅거리는 마음을 나는 감싸고 있지만

너를 사랑할 수 있게 해줘서 고마워

너를 그리워할 수 있다는 것만으로

*   51

이미 내겐 돌릴 수 없을 만큼 큰 빚이야

아프지 말고 잠시 여유를 갖길 바랄게

못

너와 헤어진 후 우리의 베개가 희고, 차다

너와 땅콩 아이스크림을 먹고 싶은
그런 날이다

비가 오면 우린 무릎베개를 하고선

떨어지는 빗소리에 마음을 녹였지

바람의 끄덕임이 멈추면

언제 그랬냐는 듯 처마 끝에 뚝뚝 고여 있는

한 시절의 고비들도 반짝거렸지

우리도 점점 비를 닮아가는 것 같아

서로에게 흠뻑 스미어 알 수 없는 눈물로 부둥켜안은 채

우리가 가지고 온 그림자가 비치는 걸 바라보았지

늘 한결같던 너와 나의 사랑이 오늘 이토록 찬란한 것은

저 투명하고 고운 물방울이 만들어낸 기적이었어

삶이 그런 걸까 쏟아지는 비를 맨몸으로 맞고서도

우리가 나란히 손을 잡고 견뎌내는 것처럼

실마리가 보이지 않던 삶의 가장자리에

오늘 간절한 우리의 첫사랑을 되새긴다

우리의 마음들이 녹아 흘러넘치는 때에도

뼛속까지 그리워하던 시절들은

한 번에 채울 수 없는 어떤 사랑은

오래 두고두고 바라보는 가슴으로 남아

내 몸의 뿌리째 기다림이 되는 것이다

우리의 지금이 어떤 못난 비겁함일지라도

겸허히 순결해지는 것이다

서로의 낯빛에 타오르던 순정함에 힘입어

다시 처음 자리로 되돌아가 사랑하는 것이다

아직 너에게 물들지 못한 애틋함이 남아 있기 때문에

너와 땅콩 아이스크림을 먹고 싶은 그런 날이다

노숙

내가 처음 세상에 혼자 되었을 때

처절한 울음 계단을 베고 넋이 나가

그렇게 지친 야생화가 되었을 때

그대 밖에서 아직 외롭게 서성거리는

길 잃은 길냥이가 되었을 때

마음 한복판 복받쳐 오르는 용솟음을

거미줄처럼 끌어안아준 당신의 사랑이 있어

나는 이 노숙이 세상 가장 아름다운 기다림이 되었습니다

언젠가 이 도시의 여행 속에서

내가 앓았듯 그대가 아파한다면

나의 따뜻한 오른쪽 가슴으로

그대의 얼음장 같은 마음을 편히 안아주고 싶습니다

당신의 은혜에 대한 작은 보답이라고

환하게 열을 내며 그대를 품을 것입니다

나는 그대에게 보푸라기 같은 옷깃일 뿐이지만

열렬히 누군가를 기대며 품어왔던 모든 진심이

때아닌 비를 맞고 뙤약볕에 타오를지라도

나는 벼락같은 그리움을 가슴에 새길 것입니다

거지 같은 사랑이 나를 속이는 것이라고 해도

도시 여행자처럼 내려앉은 고요의 한 시절이

그대를 흐르고 흘러 마침내 그대 곁에 고이는 여린 물소
리처럼

먼지뿐인 나에게 골목을 만들고 바람을 만들고 저녁을
마주하게 만드는

처연한 나의 사랑이 꽃 진 자리처럼 흐느껴진다 해도

단춧구멍만 한 그대의 마음이 보이면 나는 그 외로움마저

마음을 말리고 또다시 꿰매어서

쉬이 회오리에 불려 나가는 한 철이 되고 싶습니다

거위 간을 들키지 않으려고

흉터가 난 자리마다 덧난 상처가 있다

이 허물들은 내 안을 살다 나온 것일 뿐이지만

한 번도 이름을 불러준 적 없다

세월의 갈피처럼 뚝뚝 떨어지는

뱃멀미 같은 시간들 흩어지다가

몇 번의 서리를 맞고 계절이 지나다 보면

문득 시절의 의미가 필요해질 때가 있다

돌이켜보면 다 물러지지 않은 것들

쉽게 다치고 싶지 않았던 기억들

첫 이별을 앓고 난 후 나는 메말라갔다

늘 내 몸에 흐르던 혈액 같던 사랑이

이제는 심장 가슴께에 딱딱하게 굳어버린 것이다

이제 우리는 서로를 경계한다

수액이 필요한 까닭이 생긴 것이다

지금껏 단 한 번도 너를 살지 않은 날이 없었다

바람이 불고 비가 내려도 나는 꿈쩍할 힘이 없다

너라는 뿌리가 내 안에서 뽑히자

크고 황량한 가슴에 시퍼런 구덩이만 남았다

링거를 맞으면 너와 다투기 싫어진다

조금씩 화색이 돌던 그때의 우리가 간절해진다

네가 얼마나 버겁고 힘겨웠고 답답했는지를

이제야 느껴서 괴롭고 힘들어하는 나를 용서해

늘 가난했지만 너를 향한 마음만큼은 가난하지 말자 다
짐했는데

네게서 헤어지자는 말이 나오게 한 걸 진심으로 사과한다

내 사랑이 아직 끝나지 않았음에 미안하다

내 심장이 네 온기를 아직 잊지 않고 있음을

몇몇 사람들이 스쳐 가고 또 어떤 인연들이 흘러갈 테지만

나는 저 잎사귀들이 아직 푸르다

서로의 거위 간을 들키지 않으려고 안간힘 쓰던

그때의 시절과 인연이 이젠 새살처럼 희고 눈부시다

머리카락을 불어보다

푸른 저녁입니다

모서리 하나쯤 난 책가방을 들고 비탈길을 오르는 어떤 수업일 때도

저녁의 이음새 앞에서는 각각 깊은 숨을 내쉽니다

마른 눈썹에 앉아 원고를 들여다보는 나도

머리카락처럼 이유 있는 작가가 되고 싶습니다

저녁 별 기다리며 종이 그림자를 매만지다

사소한 질문 앞에 저녁 책장을 다시 넘깁니다

덤불 속 규장각에는 모든 머리카락의 사춘기가 새겨져 있기 때문입니다

생각은 늘 그늘을 한 뼘씩 더 넓히고

바람은 첫 문장을 안이하게 구석으로만 몰아넣습니다

오늘은 어떻게 버틸 수 있을까요

울퉁불퉁한 마음을 처음 다른 이에게 들려주었습니다

어떤 날은 상처마저 멋진 눈부심이 되기도 하였습니다

그것도 의미일까요, 그 너머엔 무엇이 있을까요

우리는 오늘도 머리카락이 읽고 생각하고 바람에 쓰는 이야기를

마음에 스치는 솔직함으로 독서 모임에서 즐기고 있습니다

푸른 비눗방울의 차갑고 따뜻한 눈빛들이

뚜껑을 닫은 찌개처럼 조용히 끓고 있는

슬그머니 스며들고 싶은 부지런한 하루의 사랑을 보았습니다

어둠 속에서 우리는 간절한 빛을 찾고

사랑은 이미 그 자체로 빛을 만들기에

우리는 어둠마저도 빛으로 물들이는 하나가 되는 것입니다

마치 밤하늘의 별들처럼

그렇게 속삭이다가 속닥이다가 하루가 다 간 시간처럼

기쁨이란 둘이라는 말의 진의를 머금은 단어입니다

아름다움이란 곁이라는 말의 동의어입니다

너의 집으로 들어가던 날들이

지속 가능한 추억에서 고립될 것이다

너의 집으로 들어가던 날들은

이별의 종착지로 열차가 달리던 날이었던 것이다

비틀거리는 마음에 휘청거리듯

차원이 다른 세계가 펼쳐지는 것이다

입술의 구개음으로 나는 추억하지만

그 입술이 한 번 떨릴 때마다

우리의 방황은 재난 영화처럼 혼란스러운 것이다

가보지 못한 세계를 이제 우리가 만나고 말았다

이별은 한집으로 들어가서

각자 다른 출구로 돌아 나오는 어둠의 일갈이다

방 탈출을 꿈꿔왔던 모든 날이

이제는 독방에 갇혀 한숨으로 잦아드는 것이다

함께 새집에서 살아왔던 모든 설렘이

어느새 땅거미 진 뒤안길로 우리를 따돌리는 것이다

각자가 서로에게 모진 말을 던지며

무거운 마음으로 현관을 박차고 떠나는 것이다

아무래도 멀리 온 것 같은데 달라진 건 아무것도 없고

게으른 시간만 훌쩍 지나가버린 듯 지치는 마음

안타깝고 짠하고 불쌍한 그런 클리셰를 맛보던 날들

차라리 혼자가 낫다고 생각하던 날들

그래 괜찮다, 지금 이대로 사는 것도 나쁘지 않다

조금씩 변해가는데도 변하지 않는 것 같은 헛헛한 가을 장마 지나고

아, 정말이지 인생의 화양연화

그 시절은 내게 다시 돌아올까?

세상 단순하다고 마음먹기에 달려 있다고 하지만

다 나를 살다온 것들, 나를 빠져나가는 것들

그래서 자꾸 영혼만 가벼워진 채 무거워지는 것들……

이번 여행은 조금 드라이한 사막 여행 같다

그렇지만 잘 여행하고 오자

분명 배우는 게 있을 거야!

낙엽도 한때 타오르는 시절이 필요했던 거야

가을장마

눈두덩에 찬 그리움들이

이별도 되기 전에 무작정 쏟아진다

아, 사랑아 그리도 아름다운 사람아

내 마음에서 깃을 터는 새들의 영혼들이

이제는 고요를 취하고 있다

그 시절 캄캄했던 먹구름이 밀려와서

어느새 너와의 아픈 계절을 책으로 감싸고 있다

나 마음 젖어 무겁게 너와의 추억을 넘기지만

그럴 때마다 더욱 부풀어 오르는 눈물이

기억에서 기억으로 겨워하고 있다

잠시만 내어줄 수 있는 사랑의 달이 있었다는 듯이

나는 먼 달무리를 좇고 있겠지만

이미 내 곁에서 떠나버린 사랑이

이제는 목숨보다 가엾은 이별의 증상이 되어간다

끄나풀로 잡을 수 없는 속된 우리의 일기가

가을장마에 깊이깊이 젖어가고 있다

어쩌면 최초의 지구도 그러하였다는 듯이

낮과 밤이 이토록 사람의 마음속에서 뒤바뀌는 것이다

지구의 반대편처럼 살아가는 너와 내가

오늘의 입술에서 떼어지는 것이다

너에게 함몰되어 살아가던 내 작은 공기 같은 날들을

이제는 그저 뜬눈으로 지새우는 것이다

한 번도 하얀 재가 되어가듯 눈멀어 본 적 없는 사람이라면

사랑이 얼마나 귀한 것들이었는지

또 이별이 얼마만큼 소중한 날들이었는지 모를 일이다

아득히 피곤함도 모른 채 타버린 블랙홀처럼

우리는 지금 잠들지 않는 나라에서 사는 것이다

이별이 주는 선물에 나는 감사할 따름이다

나의 온 생애를 견딜 수 있었던 우리의 전부였기에

사랑의 깊이가 이 밤처럼 깊고 짙었기에

눈물이 다 마르고 눈물샘이 갈라지는 동안

몇백 년의 인연이 함께 소용돌이친 것이기에

겨울 귀걸이

나에게서 빠져나가는 빛이 있다

나의 가슴에서 우는 목소리 흘러들어

서로의 사랑으로 솟구치던 진눈깨비처럼

아아, 지지 않는 한밤의 빗장

그대여 오지 않는 사랑을 묻지 마오

제 앞에 감춰진 겨울 향기

사랑이 비칠거리던 날들의 한숨으로

그곳에서 부는 바람이

저곳에서 날리는 이전의 사랑으로

안간힘 들여보는 이 맘이 눈물처럼 아려온다

나 지금까지 지내온 사연에 애틋함을 간직한 채로

서로를 그리워하다가 짙은 노래를 품었다

나에게서 흘러나오는 생이별이 있다

젖은 기억에서 들리는 한숨 되려

아파도 아파서 쌓여만 가는 얼어붙은 가슴

아아, 참지 못할 노래 밖에서

오로지 생의 대부분인 듣는 귀밖에 없는 계절

네가 오겠다 한 그런 날들이

이젠 더없이 멀게 느껴지는 하루하루

욱여넣을 마음이 종잇장처럼 가벼워서

너는 서툴게도 이별을 아끼는 중이다

이별이라는 말로 우리 사이를 단정 짓고 싶지 않아서

나는 이토록 외로운 날들에 밑불을 적시며

떨어지는 별똥별에 아파하는 것이다

이딴 그리움이야 풍등처럼 떠오르는 마음이겠지만

어쩌지 못한 사랑의 이야기가

가난한 내 눈시울이란 정거장을 막 스쳐 지나간다

마지막까지 헤아리고 싶던 너의 품을 내어주듯

나는 지금까지 네 목소리에, 네 웃음에, 네 향기에

지독히도 애태우는 중이다

그깟 사랑이라는 말도, 한낱 이별이라는 말도

모두 서로를 출렁거리게 할 뿐

밤이 되면 한없이 초라하게 작아지는 내 모습에

나는 너를 기다림으로부터 먼 행성이라 불러야만 했다

그리하여 사랑이여, 피어라

물푸레나무 그림이 그려진

컵을 쥐고 있는 그대를 보고 있으면

내 마음도 그대의 컵 안에 뿌리내리고 싶다

정처 없이 정처 없이 생을 떠돌다가도

그대의 컵이 달그락달그락 문지방을 넘어갈 때면

나는 그 컵에 잎을 뻗은 조바심이고 싶다

그대는 어느 날, 깨진 컵처럼 떨고 있는 나를 감싸주었고

버려진 생을 다시 덮어 담아 나를 길렀다

사랑이 한낱 짐이 되어버려 서럽고 아쉬웠지만

그대의 두 손으로 포근히 감싼 온기는

나의 얼굴에 핏빛이 돌게 하고, 기쁘게 하는 것임을 잊을

수가 없었다

　나의 서툰 음성에도 그대는 늘 상기된 목소리로 나를 배

웅했고

나는 그런 헤어짐의 시간이 아쉬워 전화기를 컵처럼 만
졌다

마침내 사랑이여 전율로 살아가게 만드는 그대의 희생이

나를 여태껏 피어나게 하였지만 나는 갚을 자신이 없다

흐린 창가에 비친 제 그림자에 흠씬 놀라거나

혹 제 그림자에 취해 그렇게 흘러넘쳐

자신의 안위를 끌어안을 때

조그마한 파문 위로 새들이 퍼덕이며 길을 헤맬 때

우리 사랑의 촉수가 닳고 닳아 번질거릴 때

마디 하나 숨겨두고 물푸레 나뭇잎이 떨어질 때

흐릿한 사람들과 흐릿한 안부와 먹먹한 빗소리와

멀리서 출렁거리다가 온 미래의 우리는 시더우드 디퓨저
같다

나의 얼굴에 달린 지퍼를 열고 외계인인 척 거울을 바라
볼 때

나의 둥근 몸으로, 그대의 쉼을 목 축여줄 살가죽의 아름
다운 부대로

나는 영영 그대 곁에 남을 것이다

그는 내게 거짓말을 할 줄 모른다

내가 들어 있고 그대가 들어 있는

사랑이 맺힌 꼭지를 쉽게 비틀지 않는 것은

그대의 투명하고 맑은 그림자가

내 혈관 속 어둠을 지우고 있기 때문

그대 가슴에 든 사랑을 내가 절대 던지지 않는 것은

추억들이 뒤엉킨 시간이 흐려지지 않기를 바라기 때문

나는 눈물을 땅에 심었고

당신은 그런 나를 가슴에서 기르고 있으니

우리는 눈시울 안에 버려진 사랑만은 아니었다

칼날 같은 바람이 불어올지라도

내가 그대 아닌 바람에 손을 내밀지 않는 것은

연약한 사랑이 병들고 깨져서

우리의 형체가 잉걸불에 그을리는 걸 바라지 않기 때문

우리가 영혼을 가져다 세월을 묻는 것처럼

어느 나이 먹은 은행나무를 바라보며

사랑과 열정과 의미를 쉽게 태우지 않는 것은

내가 그대를 함부로 사랑하지 않기 때문

그런 사랑이 세상에 어디 있겠냐고 말하겠지만

그는 내게 거짓말을 할 줄 모르고

떠날 때 나에게 사랑을 주었다 뺏지 않겠다고 말하였으니

그는 반드시 기필코 푸른 지느러미를 흔들며

강을 거슬러 나를 찾아올 것임이 틀림없다

그는 자신을 믿지 말라고 말하였으나

자신을 견디는 법을 알고 있는 그가

나는 더욱 믿음직스러웠다

그는 단 한 번도 나를 떠난 적이 없다

항거하지 못한 채 그것마저 삼키려 먼 내일에 나간 것이다

이제야 안다 그는 틀리지 않고 옳았음을

사랑을 알아봤고 그것이 전부였으며

이 사랑의 마지막을 불태우고 있었다는 것을

드디어 온다, 우리 사랑이 끝끝내 목숨을 다해

한 방향으로 사랑의 갈무리를 내어놓고 있다

번아웃

최초의 산불이 마음에서 가까운 사랑에 덤비는 것이다

모든 것이 힘들어 짐짓 역류하는 것이다

새들의 무게가 봄밤보다 더 크고 무서워서

꽃들이 눈먼 눈부처를 깨워도 시큰둥한 것이다

나를 기르는 세월이 저만치 식은 밥을 거두는 것이다

마른 장작 같은 얼굴에 굳은 구애들이 울고 보채도

달팽이 집처럼 천근 매달리는 것이다

부리를 비벼도 대낮이 사라지지 않는

오로지 역도 경기뿐인 범람하는 하굿둑 같은 것이다

까닭 없이 멀어지고 별안간 날카롭고 쓸쓸한

해거름이 없는 저녁인 것이다

웃어보라고 말해도 멀미를 앓고 있는

내 안의 모네가 흙탕물이 되는 일이다

무게를 견디지 못하는 바구니에서

지푸라기처럼 머무는 영원한 마음의 무인도인 것이다

대자리에 바위를 두르고 숨어 있는

엎어진 술잔 같은 것이다

먼 길처럼 타들어가는 심지에 가슴이 갈라지는 것이다

첫눈이 들끓어도 메뚜기 떼가 허구를 사는 것이다

사랑을 잃은 자의 표정이 달처럼 시퍼렇게 질려 있는 것이다

살지 않음에도 불구하고 그리운 뭇사람 만나

아주 작은 옷을 입은 아침 별처럼 서로가 아파오고

함께 기억 상실증을 앓다 온 사람처럼

바랄 수 없는 것들이 많다

세상이 힘든 것이 아니라

바라는 것을 고쳐나갈 수 있는 용기와

내 안을 지배하던 아름다운 시절이

부질없는 슬픔으로 가득 찰 때까지 미움을 넋두리 삼는
게 힘든 것이다

덧없음의 곁을 마주 보며 영원을 만들고 싶었던,

찢어지는 애달픔을 나는 도무지 견딜 수가 없어서

너를 토해내던 고난으로 흰 눈이 내리고

나의 인기척이 어느새 백발로 쌓여 흐려지는 그날

너는 뼈아프게 서러운 지금을 살아내고 있다

마음대로 살다가 마음대로 사랑하던 나의 겁 없는

청춘……

폭설

오독하고 싶은 질량이 있다

이별 후 맞는 첫 새벽이나 사랑의 전지적 시점에서

한 번쯤 흰 눈에 미친 사람을 마중 나가보는 것도 사랑이다

머릿속에 그려지는 풍경이 아닌

불에 마구 타고 있는 희고 어린 세포들

할머니는 죽은 자의 혼이라고 말씀하셨다

움막집 얼어붙기 시작하는 내 영혼의 겨울에서

온 가지가 자신과 상관없는 불빛에 전이되어

올해의 가장 아픈 사람이 되어

펄펄 떨어지는 하늘의 애간장을 떠받들고 몸 녹이듯이

눈이 내리면 사방의 어둠에서 균열이 시작되는 것이다

겨울은 해마다 전략적으로 우리들의 마음 가장자리에

책을 만든다

한 권의 자서전으로 생을 마감하는 어느 유령 작가들처럼

너를 한 줄로 요약하기 위해 살 떨리는 거리에서

마지막 열애를 하는 완벽한 눈송이들

철없이 어둠이 와도, 나는 네게 철없어 보이는 자존심마저

비칠거리는 희미한 등불로 마저 흔들어 보일 것이다

내가 한없이 작아지는 날에도

네가 길 잃은 아이처럼 헤매는 한계의 어느 날에도

우리는 시큰거리는 눈시울이었으니

네가 곁에 없으면 난 너를 잃은 나를 만나고,

네가 곁에 있어도 우린 또 다른 이름의 우릴 만나고

여기 해 지는 풍경 속에서도 너의 이마를 짚을 수 있는 것은

우리의 안음으로부터 시작된 시간의 부침 때문이다

헛헛한 눈썹 뒤로 울고 있는 그대를 알기에

모든 세상이 덮여야만 안절부절못하던

인간의 나약함이 화두에서 사라지는

어느 보드라운 세월에 짙은 사랑이 필요한 이유

이윽고

수제비를 끓이기 위해 반죽을 치댑니다

단단히 불려놓은 나라는 그림자는

그대가 처음 알려준 아름다운 시처럼

빚어 가꾸는 사랑을 이해할 때까지

가을 수목원이란 책장에서 어느 자서전을 꺼내 읽을 때

까지

한때 우리의 손을 탔던

미어진 마음과 같아서

육수가 끓기도 전에 정갈하게 내려앉는

샤갈의 마을에 있는 것만 같습니다

흐느낌만으로도 굳을 수 있는 우리의 운명은

나약한 이 세계의 유리온실 같아서

가을에 홀로 남겨진 그대 생각에

서로가 숙성된다는 것이 성숙해지는 것이었더라고

읊조림 끝에서 내리는 조용한 고요처럼

마지막 명치를 흔드는 생각의 전율처럼 말입니다

친구들을 만나고 여행을 떠나도

그저 멍하니 네 생각만 자꾸 나 그리움을 입는 동안

맛있는 것을 먹고, 기분 좋게 술을 마셔도

온통 이루지 못한 사랑이 미련처럼 남아서

어떤 서글픔은 '이윽고'라는 말이 내내 떠받들고 있습
니다

사랑과 이별의 교집합을 이윽고가 대신하는 것입니다

눈썹에서 이윽고 눈보라가 치고

눈시울에서 이윽고 계절이 바뀌면

내게서 슬며시 멀어진 그 시절 인연들도

이윽고 강을 건너가 윤슬이 되어 돌아오고

나를 미워했던 그 사람도 이윽고 행복하길 흠뻑 기도했
습니다

이윽고 세상은 바삐 달아나고

우리들은 벼랑의 늑골에서 자주 생각하다가

물에 젖은 신발을 들고 이윽고 집으로 되돌아옵니다

사랑이 겨우내 살아남은 꽃봉오리처럼

이윽고 이윽고 이윽고 대책 없이 헛배만을 채울지라도

실로 모자랄 일 없는 이 가난한 사랑에도

칼칼한 헛기침을 하며 조용히 서로를 반기는 재회

그 미간에서 차오르는 사려 있음이 그대에게 온전히 전
해지기를

3장

심야 서점

시집

처음엔 집을 짓는 사람이 되고 싶었다

세상에 어떤 집들이 있는지 알고 싶었고

닥치는 대로 읽고 끌어모으고 가끔은 갈증을 느꼈다

말들의 숲속에서 출렁거리는 이미지 속에서

외롭지 않고 쓸쓸하거나 또 겁내지 않고

자유로운 해거름을 만끽하는 꿈을 꾸고 싶었다

그곳에서 짜장면을 먹고 오락실에도 가고

목욕탕을 가거나 낮잠을 자고 뒤척이면서

때로는 깨진 손톱을 깎기도 하였다

한때는 사랑의 전부였던 연인에게

작은 메모와 함께 제일 먼저 시집을 선물하곤 하였다

그것이 나의 심장이며 영혼이며 분노며 열정이며 빛나는
결핍이었으니까

그런데 어느 날 수많은 말들의 시장에서

나는 시집의 처음 자리를 생각했고 그곳으로 바래다주고 싶어졌다

모든 것들의 처음 자리로 돌아와 나만의 푸른 언어를 찾고 싶었다

타이틀이나 명예나 고지 점령이 아닌

모태의 시의 집으로 돌아가고 싶었다

사람들의 근심을 받아내면서 나도 모르게 나의 근심을 투척하고 있는 모습

우리는 이것이 잘못됐고 저것이 잘 됐다 말했지만

오로지 지금은 슬프고 안쓰럽고 짠하다

한 번쯤 서로의 관계에 대해 푸석해질 땐

해머가 아닌 기다림으로 널 이해할 수 없을까

서로 더 큰 우리를 감당할 수는 없을까

단절이 오기까지 불과 종이 한 장 차이의 거리에서

우리의 가면은 순식간에 벗겨지고 만다

찰나를 끌어다가 수년 수십 년을 이어왔던 영혼도

이 투척 경기장에서 고립되는 것이다

서로의 시차를 견디는 것이 어려워서

순간을 그르치기에 우리는 이별의 이유를 더 모르고

오로지 말이 없어서 무언가로 말을 대신하던 날들이

지속된다는 건 어쩌면 불가사의한 일

오늘 책장에 있는 시집을 모조리 비워 헌책방에 건네주

었다

  그곳에서 바람의 누각이 태어났고 또 며칠이 지나자

  비단 융단만 남은 신전이 앙상하게 드러나

  불탄 자리가 희고 눈부시고 처연해서 무척 아름다웠다

  아직 쓰이지 않은 말들이 시집을 완곡히 채우고 있었다

바이킹

참 모자라 몰랐던 거예요

의미 없는 만남이 버거운 이유

설령 그럴 이유 하나 없었더라도

옛 추억만으로 살아가는 작은 이유

그런 연애를 할 때면 멀미가 났어요

마치 전부라도 내줄 것처럼

슬픈 미소로 슬픈 미소로

웃어주며 겁 없이 대답하던 눈꼬리

미처 허무함은 알려주지 말아요

불같던 마음이 식어가는 전부를

후회할 상처들까지 흉터로 남는다는 이야기를

삶이 의미 없음은 눈치 볼 일이 아니라고

그냥 그 정도의 이별만 담아요

참 눈물 나 맴도는 중이에요

실수 없는 모습이 어디 있겠어요

허나, 그런 마음 하나조차도

나 혼자만 서러워한 흔적뿐이죠

여기서 내려달란 말은 말아요

나의 눈먼 사랑은 침몰하는 중이니까요

후회는 없어요, 이것까지 우리 삶 대부분의 몫이니

그저 담담히 현기증이 멈추길 기다려요

서로의 금이 간 자리마다 슬멋 아렸다

내가 어떤 욕심이나 허세를 부리지 않고

그대와의 깊이를 찾아

귓가의 노랫소리를 들을 때

우리는 붉은 노을처럼

서로의 금이 간 자리마다 슬멋 아렸다

부대끼던 날들이 찾아와

한동안 멍이 들었던 가슴을 데리고

종일 비를 피해 끝없는 시간을 용서했고

그렇게 너와 내가 만나 인연이 되었다

내 마음의 무게만큼

내 가짐 없음의 살만큼

너의 눈시울을 적시는 일은 없을 거야

내 사랑 그대는 하나뿐이라서

함께 걸었던 지난밤의 꿈결을 잊지 못해

그대와의 사랑을 맞아

가벼운 발걸음에 눈웃음칠 때

우리는 깨진 컵이었지만

서로의 부러진 상처를 어루만져준 소중한 운명

이 사랑 흩어지지 않도록

그대 꽃망울을 지켜낼 거야

내 모든 날을 다해서

오직 그대만을 사랑할 거야

우리는 하늘만이 내려준 전부이니까

내 쓸쓸함보다

내 어리석은 꿈들의 아픔보다 소중하니까

비화

악마에게 다가가는 것

어떠한 추억도 소용없는 것

일부러 찾지 않는 것

헤어진 만큼만 아물다 가는 것

행동의 이유를 알지 못하는 것

참 수많은 이유로 없음이 되어지는 것

자꾸만 지기 싫은 것

알다가도 모를 다 자란 가슴을 속이는 것

그게 널 지켜줄 거라고

그런 사랑 주고 싶어서 그랬다고 하면서도

뭐든지 너와 상관있는 건

하나부터 열까지 좋았던 순간들로 돌려놓는 것

그건 아마도 사랑보다 깊은 이별이 만드는 운명이란 걸

표현하려 애쓰지 않는 것

대답 없는 욕심과 무관해지는 것

괜찮다 다독여주는 것

헤어진 그때처럼 눈앞이 캄캄해지는 것

사랑을 믿지 못했던 나

이별에 덧나 말하지 못한 나

잠시뿐이라고 했던 말

설마 그게 마지막 배려일 줄은 몰랐던 것

그래 우리 다시 시작해보자고

이별 아픔쯤이야 이젠 괜찮다고

내 곁에서 떨어지지 않는 너

새 사람이 온다고 얼비치던 한숨들을 나 기억하는 것

그건 아직도 우리 사랑 변함없는 것 그따위 비화를 만드
는 것

양갱

흔한 사랑보다 더 달콤한 맛

어렸을 적 할머니가 참 좋아하시던 맛

바닷바람 같은 사연 가슴에 품고

한 입 베어 물면 진심 어린 새벽 같던 그 눈물 맛

한 번쯤 사랑에 실패하고

몇 번쯤 세상에 지고 돌아와도

판도라의 상자 속엔 그때의 따뜻한 기분

알싸함은 아니지만 참 평범한 친근함

양갱이 좋아, 양갱이 좋아

아무렇지 않은 심심한 저녁 바람처럼

복숭아 잼 눈물 같은 새까만 안김

은은한 눈길처럼 서로의 안부가 되던

뒤척이는 별 그림자 어린 베개 같은 이름

입속에서 씹히는 캄캄한 절망

가끔 난 할머니가 또 꿈에 보여서

동백꽃 숲 사이로 휘파람 불며

아껴 삼켜보던 안쓰러운 추억 같은 바람 맛

한때 사랑했던 설익은 감정들보다

진한 울림처럼 가슴에 맺힌 응어리

곤고한 불길 위에 졸아든 저녁처럼

사는 게 다 그렇지 안도의 한숨 내쉬는 듯

양갱이 좋아, 양갱이 좋아

두고두고 꺼내보는 허전한 하루 일기처럼

라디오의 사연 같은 캄캄한 새벽

혼자 된 눈물겨움 가까이 끌어안아주던

별수 없는 옛이야기 너와 함께 있다

자서전

쪽빛을 머금은 듯

일생을 깊은 잠처럼 빠져들던 낮달 아래

착하게 견뎌왔어, 오늘의 오후란 전쟁 앞

무슨 하루의 의미를 찾겠다고

부단히도 저려왔던 가슴아

누군가의 맨발은 시간의 그늘을 붙잡았고

때 이른 물음을 던지지 않겠다고

스스로 다잡았던 인생의 황혼은

아득한 시절 인연의 자화상을 꺼내본다

흔들림과 흔들림의 빗줄기 사이로

흔한 울림 같은 가슴으로 우는 시름

무슨 맘으로 참아왔을까

세 번의 꿈속에 잠이 들었다

어스름 찾아올 때 도무지 받아들일 수 없던 운명

침묵을 배우고 오는 노래는

아직 들끓어 토해내고픈 바람

굳세게 버텨온 삶의 허물을 씻어낼 때

오늘의 눈물을 살겠다며

무던히도 행복했던 몽중인

무거운 눈꺼풀 아래

갸륵한 눈을 떠본다

불어난 어둠은 몸서리치듯 아파왔다

웃픈 하루 속 사랑이란 갈증아

가려운 꽃 치장에 헐거워진

한 권의 때아닌 삶의 무게

그곳에 머무는 새들처럼 포근히도 잠든

험한 꽃이 되었네

자고 일어나 보니 짐짓 가슴만 시려오네

바람같이 살고 싶어

바람같이 곁에 머물고 싶었던

가난한 하루의 시작과 끝이 돼주었던

하찮은 매일매일에 그늘 같던 위로의 말들

난 아직 젊은데

난 아직 걱정 따윈 하지 않는데

그댄 날 왜 이토록 데리고만 다니는 건지

알 듯 말 듯 한 침묵으로

사랑을 고백해주던 그대의 서툰 맘

그 시절들이 아려오면 난 눈을 감고 말았네

시든 채로 피었네

가까스로 빗질하고 거울만 깊어가네

햇살같이 남고 싶어

햇살같이 숨을 죽이고 싶었던

내 모자란 꿈들의 방황과

삶이 돼왔던 외로운 그림자 곁의

물웅덩이 같던 슬픔들

아 삶이 이토록 시려오면

아득한 하늘을 열어봐

그곳에 머무는 새들처럼

포근히도 잠든 날갯짓들의 휴식처처럼

가슴마다 붉은 연고를 바른다

살짝 올라간 입꼬리에 우리의 흐뭇함이 서려 있다

그때의 우린 알 수 없는 배려들로

겹겹이 사랑을 드렸다

한껏 차가운 아홉 시에

무심코 쏟아지던 하얀 눈들이

저만치 눈꽃 송이들 휘날리며 사라졌다

아련한 한때의 사랑

별수 없는 사랑이라고 떠들어댔지만

깊은 마음을 주고 난 후 그저 난 멈춰 있다

한 발자국도 움직이지 못한 채로

스쳐 가는 이별을 그만 놓았다

사랑하는 동안엔 알지 못했어

처음부터 잘해주는 것이 아니었다는 것을

시작할 땐 언제나 마음이 앞서겠지만

하루가 시작되면 늘 그 자리에 맴도는 노랫소리

그땐 나만 놓아두고 떠날 줄 몰랐다

잊지 말자 다짐했던 진심뿐이었지만

시간 떠나고 덩그러니 남은 내겐 아픔 있어

그대 없어도 못 이긴 척 그런대로

허전해진 마음을 이젠 못 잊는다

한때뿐인 사랑 한때뿐인 운명

모진 세월이 만든 작은 기적들이

나의 하루에도 가만히 새살로 오를까

가슴마다 붉은 연고를 바른다

뜬눈으로 지새우는 상처란 깊은 쪽잠

찔레꽃 사무치는 시린 마음의 빗살 같은 사랑

빗금 먹은 세월을 씻고 싶구나

허나 이번 생의 사랑은 아아, 야속하더구나

큰맘 먹고 내쉬는 한숨

아득히 까마득히 기대어보는

낯선 밤하늘의 흐린 기분 탓

흐린 사람들 얼룩진 풍경 사이로

손때 묻은 그리움에 가슴이 아파와

사랑을 구걸하던 지난 생각에 휩싸이면

바람 속 나뭇가지 끝에 해가 지는데

아 어쩔 수 없는

아 눈 뜨고 우는 비련한 사랑

흐드러진 지푸라기들

벼린 날들의 쏜살같은 허무

몸 져 시린 얼룩을 말리고 싶던

다른 이유의 이별 아아, 눕고 싶더구나

곁에 있던 지난 삶들이

제가 만든 이유로 혹독히 아파할 때

회오리 회오리 무시로 부는 얼어붙은 맘

아 듣고 있어도 생각에 잠기는 바보 같은 미련들

우 우우 우 우우

뜬눈으로 지새우는 상처란 깊은 쪽잠

당신은 둘이 되었네

그만큼 견디기 어려웠지

가짐 없이 누군가를 사랑한다는 거

사소한 말들조차 이유를 만들어

네 믿음을 늘 고백받고 싶었지

헛된 바람들도 꿈꿔보았지

이조차 허락되지 않을 오늘을 알기에

이 모든 의미 없음에 쓴웃음도 지어봤지

사랑한다는 거, 참 쉽지 않더라

오랜 시간 동안 그토록 잘 견뎌왔는데

아직도 내 맘은 갈 곳을 몰라

어두운 서로에게서 잊혀지듯 되먹이던 어스름 녘에 기대
어 있네

내 맘은 얼어붙은 그리움으로 쌓여

텅 빈 풍경에 조용히 가슴으로만 흐느껴 우네

그만큼 사는 게 지겨웠지

소리 없이 그대를 떠나보낸다

허무함에 미련을 보탠 채

이 가난은 짐짓 빈털터리였으니

부서지는 맞바람에 흔들리듯

서로가 부대끼는 오늘의 날씨처럼 서러워

그런대로 익숙해져가는 일상이라고

당신이 떠나가는 것이 두려워 둘이 되었네

당신은 둘이 되었네

어둑한 당신과 나는

아, 외로운 둘이 되었네

겨울, 사랑이라고 부르는 것들

처음부터 선명하진 않았겠지만 그렇게 잦아든 겨울

시간은 좋은 기억만을 남긴 채 떠났고

나는 지금 행복을 가까스로 지키려 하네

처음부터 화려하진 않았던 사랑은

하루하루를 되먹이듯 울다가 만난 진눈깨비처럼

아득히도 외로워지는 것일 뿐

지치고 아물지 못한 내 상처들 위로

가느다란 꿈들이 눈송이처럼 속삭이네

아 캄캄한 밤이 와도 그대를 잊을 줄 모르리

살아간다는 것은 이토록 간절한 기도였네

눈먼 세상살이들이 이제는 평안하길

아픔까지는 덧나지 않았던

볼수록 아름다운 계절

추억은 슬픈 방황만을 얼룩처럼 남겨

오늘 하루를 간절하게 품으려 하네

까마득한 날들이여

이제는 거친 파도와 눈물이 섞여 흐르는 마음뿐인 것을

그대는 혹시 기억하고 있을까

우리가 처음 만난 후미진 골목길

사랑이라고 부르는 것들

그것만이 날 눈물짓게 하네

사랑이라고 부르는 것들

이 겨울은 내게서 축복을 살게 하네

나를 위해 울었던 그 길 안녕히 가요

아무도 비난할 수 없겠지요

그대와 내가 꽃대궁 앞에서 서성이는 하루

결코 돌아서서는 안 될 잎자루 같은 마음

비껴 들어오는 바람만의 헛된 그리움

그대 떠나갈 순간이 오면

알면서도 저릿한 가슴을 속여야 하겠지만

내가 사랑했던 유일한 그대이기에

나 늦어버린 하루 끝에 가슴 치며 불러봅니다

그대 떠나간 뒤 괜한 부름만이 바람을 울리고

한껏 참아왔던 오랜 눈물이 그리워

나 울고만 있겠죠, 그대와 살아왔던 모든 추억들이

사는 동안 아픔이 되겠죠, 그런 거죠

어렴풋이 물들었던 삶이 내겐 이제 없습니다

그 오랜 약속 잊을 수 없겠지요

우리가 처음 사랑했던 가난한 밤

두 번 다시 반복해선 안 될 그 이유

괜히 빠져드는 덩그러니 남은 외로움

행복해야 해, 늘 바라고 바라는 맘 애가 타지만

우리 함께였던 그 살아 있음에

내가 만들어낸 사랑과 내가 울린 사람이

이제는 어떤 의미였는지 깨닫게 되는 것만 같아

그대를 그냥 보내줄게요

나를 위해 울었던 그 길 안녕히 가요

천천히 사랑해둘걸 그랬어

시간 속 예쁜 글씨처럼 살다가

미처 손 놓아버린 지난 그리움

어제의 당신은 내게서 멀어진 지 오래인데

작은 미련 때문에 또 단잠을 설치는 나

보이지 않는 그것 사랑 때문에

나 혼자서 아파하던 보통의 모자란 날들

그러나 신경 쓰지 않아도 이내 차오르던 새살

한숨 소리만 가쁘게 들려왔던 입동 무렵

천천히 사랑해둘걸 그랬어

아주 오랜만의 반가움처럼 살며시

그리듯이 네 맘에 새겨놓아둘걸

조심스러워진 이 맘에도 햇살은 비추는지

대답 없음에도 물끄러미 지켜보던 너

미움 밖에서 서성이다가

이내 멍들어버린 지친 마음들

지나간 당신은 내게서 찬란함을 빼앗았고

조그만 어깨에 그늘을 드리웠다

한기에 내리는 진눈깨비

허공에서 들리는 네 목소리 때문에

울컥 치밀어 오르는 모자라고도 두려운 마음

날 밀어냈던 외면에 난 어떤 인사를 건네야 할까

천천히 사랑해둘걸 그랬어

아주 오랜만의 반가움처럼 살며시

그리듯이 네 맘에 새겨놓아둘걸

조심스러워진 이 맘에도 햇살은 비추는지

대답 없음에도 물끄러미 지켜보던 너

아아, 사랑이 이토록 초라한 허물을 입게 한다

난 그게 사랑인 줄로만 알았소

뜨겁게 사랑한 죄

두 눈먼 가슴을 속였던 죄

잔인한 사랑 때문에

이렇게 망가지도록 휘청였던 나

보이지 않는 사랑 때문에

얼마나 더 날 잃어야 할까

그 흔한 위로 한 번 받아본 적 없던 나

이끌리듯 시작된 이 사랑도 외로움과 함께다

허나, 보잘것없는 나와 그대의

둘이서만 아는 그런 날들

미치도록 찬란했던 무수한 날들이여

거지 같은 인연도 헤픈 가슴이 시킨 일

미련한 고집 때문에 한 치 앞을 모르던 날

차갑게 용서한 죄

안녕의 안녕을 바라지 않은 죄

외로운 마음 곁에서

그토록 눈물겹게 아파했던 나

거부할 수 없던 지난날들의 너

헤어짐을 우습게만 알던 그런 네게

나 억지로 웃어 보여야만 했던

모진 밤들에 가난한 눈물을 보였던 나

아 뜨거웠다 불같은 마음

살아가는 일들은 모두 다 제멋대로

살아가는 그 맛에들 산다지만

알 수 없는 밤이 오면 내 소중한 그대여

일평생 가난했던 고단한 시간을

뜬눈으로 노래 부르고 들어줄 이들을 찾는데도

사막 같은 삶의 고비를 어찌 다 말할 수 있겠소

머물렀던 모든 하루가 이제는 다시없을 꿈이라서

짧은 이별까지 해보지도 못한 나는

온종일 혼자 우는 가을이 참 밉구나

한낱 먼지 같던 사랑이라며 그댄 나를 떠나갔지만

혹시 그대 다시 돌아올까 봐

이 밤 아직도 잠들지 못해 노랠 한다오

인생의 슬픈 외마디

난 그게 사랑인 줄로만 알았소

못된 마음이라도 품지 그랬어

그것들이 남루한 세계의 끝이었다면

그때 우리가 싸우지 않았더라면

지금 우리는 어땠을까

정말 사랑이란 건 허무한 감정일까

아직도 난 잘 모르겠어

하루의 시작과 끝이 온통 우리였다는 것에

소스라치게 놀라곤 해

하지만 이제 더는 네가 살지 않는 방 한가운데 사막

못된 마음이라도 품지 그랬어

일부러 화도 내고 나를 울렸어야지

왜 바보처럼 아무 말도 없이

그저 가슴으로 우는 거니

그딴 사랑 이젠 감당할 자신이 없어

그것들이 우리의 미래였다면

그건 아마도 운명이 비껴갔기 때문

지금 그대의 외로움은 헛사랑일까

이별이란 건 물든 오후일까

숱한 고비가 와도 잘 견뎌왔는데

솔직한 감정들에 끝내 많이 당황했던 너

알다가도 모를 눈에, 보이지 않는 것들에

우린 종착지가 어딘지도 모른 채 눈물을 흘리고 있어

그것들이 그것들이 그것들이

우리가 사랑했던 한때는 전부였단 걸

사랑은 먼 곳으로 간다

붙잡을 수 없는 아련한 품으로 간다

부딪히는 바람에조차 안부를 물어

네가 살고 있는 어디라도 따라가고 싶다

이별은 밤비처럼 운다

나는 아득히 번져가는 듯한 이 도시를 맴돈다

하릴없는 시간과의 싸움과 또 확신

내가 있는 여기 지금 어딘가에 네가 불어온다

흐느끼던 날들 익숙한 풍경

하늘 아래 숨겨진 너라는 판도라의 의미

거부할 수 없는 운명에 가슴이 저려와

네가 있는 곳까지 닿고만 싶은데

우리 사랑은 여기까지다 이 쓸모없는 사랑

이제는 다시 오지 않을 순간들이

젖은 눈빛으로 춤을 추듯이

타버린 불꽃처럼 우리의 어둠들이 바람에 취해 흠뻑 흔
들릴 때

아, 짧았던 봄날이여 인생의 황금빛 꽃 시절들이여

이제는 다시 오지 않을 순간들이 너무나 아련하게 손을
내민다

이 들끓는 감정에 한 줌 젖은 모래가 쓸려 가듯이

나의 사랑도 잊혀간다

고마운 눈동자의 마지막 눈길과 이젠 작별의 시간을 고
해야지

젖은 손으로 날 어루만지듯이

돌꽃처럼 굳어버린 우리의 상처들이 향기에 어려 짙은
마음 덮을 때

처절한 사랑의 끝에서 황혼의 꿈을 꾼 채로

3장 심야 서점

아 가을이 오기도 전에 꺼낸 수놓았던 화양연화

스스로 고이는 가슴은 어쩔 수도 없는 강을 건너

세상에 젖은 뿌리를 내리고 있네

축축이 적셔진 내 마음속 그늘진 등잔 밑

변함없이 찾아오더구나, 네 눈시울 치켜들고

오로지 가슴으로 뜨거운 가슴으로 침몰하는 이 끝 사랑

날이 지면 알게 될 텅 빈 고요의 끝을 보며

오늘도 깨닫게 되는 짙은 그대의 한숨

어쩌면 부리나케 소스라치고 마는 현실인 거야

그 고독 안겨오는 어둠처럼 젖어드는 사랑

아 허전한 노래들마다 일부러 손 가는 것들

그래도 서로 부대껴 안고 울어줄 당신

이따금 토해보면 한낱 질투뿐이던 친구도

허물없이 작아지는 외로움만 못하나 보다

끄떡없이 하루를 완전하게 만드는

서슬 푸른 빈 여백

그게 외로움인 거야

이 모든 밤들의 슬픔과 다른

내 모든 날의 한숨과 같던

그대 겁 없음과 그칠 줄 모름

난 단지 삶의 일부분을 오려내고 싶었을 뿐인데

그댄 참 멀리 나를 내버려 뒀다

알아 우린 어떻게 해야 할지 잘 몰랐던 거야

우리가 놓치고 마는 금세 부어오른 마음들에

불편해하던 몹쓸 마음가짐과

계절이 지난 후 보는 뒷모습

아픔뿐이었다고 느꼈던 삶의 머뭇거림

이렇게 복잡한 하루를 싫어하다 잠들지도 못한 채

먼 나라에 가슴을 놓고 오는 일 그대였다

모든 밤들의 슬픔과는 다른

그대 눈물겨움과 헤아릴 수 없던

머나먼 안부를 난 지금 드리우고 싶을 뿐인데

우린 참 가득 서로를 새겨왔나 보다

바람이 불어오는 방향으로

세상은 고여가듯 눈물을 머금고

그렇지만 우리 가슴에는 뜨거운 불이 남아

괜찮던 날들을 추억하면서

늘 족하다 생각만 부치다가

어느 날 그대 야윈 얼굴을 보면서

가슴 시리게 가슴 글썽거리게

내내 철철 흘러넘치던 눈물

피곤한 감정에만 치우친 채로

내가 자꾸 날 잃어버렸던 아련함, 그때의 너는 없다

가슴속으로만 되뇌던 말

가끔 네 이마를 만져주고 싶단 바람

이미 늦어버린 건 아닌지

혹시라도 내내 가슴 저릿한 순간이

나 이토록 아파도 네 숨결이 들려올 때면

어느새 이곳 또한 찬란함이라 믿었어

늘 족하다 마음만 앞선 채로

그때의 우리 곁을 맴돌아 거닌다

한숨 저리게 한숨 저릿하게

이내 한철 보내왔던 마음 밖에서

심야 서점

빗물을 먹은 책 냄새가 좋아 네 내음처럼

설명할 수 없는 감정이 들어

페이지를 넘길 때마다 온통 다 너야

우리 웃고 울던 지난날들이 떠올라

얼마나 아팠을까, 네 진심을 내보일 때까지

난 또 부단히도 네 곁을 서성거렸는데

그땐 왜 몰랐을까 우리가 잘 통하는 사이였단 걸

눈빛으로 오고 가는 흥미로운 너란 그리움

인생의 주옥 같은 연습이었을 뿐

너와의 한때가, 그 계절이 이제 사랑스러워

한 편의 이야기들처럼 우리의 다음은 무엇일까

가슴에 고여가듯 쌓이는 추억들로

우리의 침묵까지도 지켜주고 싶어

한 권의 책처럼, 한 편의 시처럼

가슴 먹먹해지던 날의 네 울림

밤하늘 쳐다볼 때마다 정말 다 너야

우리 헤어질 때 안타까워했던 서로의 안쓰러움

정말 이 끝은 바람 같은 아쉬움일까

결말을 늘 궁금해하던 네 무심한 물음이

애쓰는 마음에 번져가고 있어

가장 슬픈 책이란 허전한 마음의 기분일 텐데

심야 서점에서 널 처음 만났던

그때의 간절한 갈피들마다 어떤 영원이 스며들어 있어

각설탕

여행자의 살과 악기들, 저녁의 몸은 버려지는 것이 없다

이성을 돌리는 풍차가 우는 동안

증인이 되는 제사장들은 묵묵히 그믐의 술래를 만들고
있다

때가 타면 집착이 되는 조각보의 예각도

제 가슴 먹먹해진 달의 궤적을 던져 끝내 몫을 구한다

한몸의 시간과 저녁의 법을 안고

외야를 에돌아 오는 내 생애의 철학은 어설피 흐리다

달콤한 사랑이란 그런 즐거운 포옹이 아닐까

이별의 헛발도 깨달음에 젖은 채 안도하며

저녁의 수학적 공식을 삼켜본다

모든 저녁의 근거지와 삶이 순탄하지만은 않다

나는 둔각이 되어 저녁의 네트 앞에서 심금을 쏘아 올린다

누구도 아픈 눈동자에 던져지지 않을 테니까

이젠 나부터 죽는 시늉 그만하기를

우리는 하루에 한 번쯤은 대낮 아래에 서서

더운 숨을 바쁘게 내쉬고 있다

네가 오기로 한 속눈썹 부근에서 우리의 안음은 시작되

었다

나머지와 머리카락을 붙잡을 수는 없는 법

아주 어수룩하고 우스꽝스러운 돈키호테 같았지만

물에 젖은 그 마음을 멍에가 머무르게 했다

가벼워 보였으나 어느새 흥건히 차오른 터울 없는 삶

감각의 거푸집에 쓰다 만 이별을 넣고

붓과 물통을 마구 채우고도 싶지만

뜨거운 초가 되고자 맞바람과 겸허히 악수를 청한다

어느 시대의 의태어를 덥석 움켜쥐면 짐짓 몸살 앓는다

는 이야기가 있어

하루라는 관념에 기댄 철없음으로 침샘을 자극하기도 하

였다

홀몸으로 끓고 있는 할머니의 밥상처럼 생의 인기척 타

는 소리

정말로 비 갠 뒤 날씨엔 모래집을 채워가며 마주 앉은 자

투리를 꼬리로 비틀듯

저기 저 노랑가오리 끝 독이 오른 생, 손님의 백 년,

질끈 또 눈 감으면 우리의 삶까지도 아득한 은하의 것인데

사랑은 헛배처럼 외로웠다고, 전기수들 같았다고

질펀한 고민 앞에 영혼의 입김이 되어 신은 잠시 휴화산
이었어

피와 살로 돌려졌을 최초의 허무를 보면 환장하고 싶은
안녕

불사를 생의 이면은 심미적 흐느낌이자

하루의 깊은 낯빛으로써 온전한 네가 되어주었지

미움과 기념일을 줄여보는 게 어떠냐고

사랑의 독이 차오르는 것은

여기 빈틈으로 비울 일이다

우리는 기꺼이 하늘로 돌아갈 것이다

나의 출입을 의미로 쌓지 말자던

외줄로 된 사랑싸움

그것들이 사소한 그리움에 부대낀다

왜 우린 아직도 사랑을 설득시키지 못했는지

밤하늘 캄캄한 별들처럼 아득한 노래

그 노랫소리가 들려온다

미움과 기념일을 줄여보는 게 어떠냐고

너는 내게 얼비친 눈초리로 말을 건다

나는 왜 이토록 연약하기만 한가

왜 초라하게 멍든 가슴은 얼얼하게 들리는가

병든 삶의 일생을 판화에 새겨본다

그늘에 취해 여백을 되먹이는 것이

우리 삶의 이유였다

출렁이고 검푸른 세상에서 애써 버티다

울컥 쏟아지던 눈물 그것은 나의 날씨

나는 그저 가만히 입술을 깨물어본다

4장

서로의 춤을
받아주는 것만으로도

서로의 춤을 받아주는 것만으로도

너의 의미를 애써 되뇌지 않아도

난 그저 네가 사랑스러운 걸

한 번쯤 날 불러줄 이가 있단 것만으로도

예쁜 기다림이 내게 감도는 듯해

인생의 화양연화 이어지듯

서로의 상처를 알아보는 그런 눈빛으로

이내 달뜬 맘에 때 이른 계절을 돌아볼 때

다시 또 익어가는 우리들의 사랑 노래

세월이란 거대한 입꼬리와 그리움도 이젠 낯설죠

짐짓 스치는 인연에 먼 길 빼앗기지 않으리라

결국 제자리 찾기 같은 운명의 방향키

난 지금의 푸른 내음이 그대 같아서 좋아

이 세상 어떤 우연과도 바꿀 수 없는 몇 줄로 대신합니다

미스터리한 다큐멘터리 지하 무덤에서

날아다니는 제비 꼬리처럼 우리는 함께 춤을 추고

나는 너를 위해 사는 순결한 짐승이 되리라

못내 안을 수 없었던 그칠 것만은 같지 않았던 하루

그대를 믿지 못하면 누굴 믿을까

난 사랑의 의미를 잃고 싶지 않아

찬란한 아름다움 앞에서도 두 귀를 쉬게 해주고 싶어

아직 우리에겐 끄덕임이 필요해

아름다운 것을 바람이 다시 불어올 수 있을까

가령 올해의 겨울을 준비할 수 있도록 말야

나 모든 안녕은 다 거짓말이었다고

너에 대한 미련을 이토록 단단한 맘으로

두 눈 감은 입술로 전할게

좀처럼 낯설지 않던 우리는 서로의 거짓말까지도 사랑
했을 테니까

우리는 식어갈 이유조차 따뜻했었지

현관에서 널 다시 만나고 싶어

그때의 눈꼬리 들키지 않으려고

애쓰던 붉힘을 이제는 뭐라고 불러야만 하는지

이렇게도 몹쓸 다정한 안간힘에

오늘의 내가 그때의 너를 꼭 끌어안고 있음을

여우비 적시는 멋쩍은 인생이렷다

이렇게 감춰진 소심함을 털어놓는다

난 착하게 헤어지지 않을 거야

이루어질 수 없어서 역설적인 밤

내 젖은 손을 너에게 비춘 건

바람이 불어온 오래된 안부이기에

나 지금까지 이토록 입술을 깨문다

우린 결국 헤어지기도 한다, 그래야만 했다

오늘도 시가 무엇인지 모르는 나에게

윗입술과 아랫입술이 만나는 것처럼

나는 오늘과 오늘 사이에서 당신을 기다립니다

그대의 눈시울과 눈꺼풀 사이에서

긴긴 가로등 불빛의 적막을 마음에 풀어둔 채

아직 오지 않는 그대를 저릿하게 반기는 연습을 합니다

사랑은 얼마만큼의 지겨움이 생겼고

그대를 위한 나의 저녁 하늘은 마무리가 서툽니다

그러나 나의 오랜 집이여 당신이여

당신의 두리번거림이 나를 향한 사랑의 인기척이라면

나는 당신의 뜻과 기다림이 머무는 곳에서

날마다 촛불을 들고 당신을 기다리겠습니다

그것이 할 수 있는 유일한 부지런함입니다

그대가 혼자 길을 걷는 우를 범하지 않도록 하기 위해서
입니다

입술에서의 마주침은 당신에 대한 나의 예의입니다

그대가 나를 시인이라고 불러줄 때

나는 내가 찾던 시인은 바로 당신이었다고 말하고 싶습니다

내 서늘함의 근원지는 늘 당신이었기에

오늘의 소소한 기쁨은 모두 당신 것입니다

세상 어떤 말보다도 당신은 나의 유일한 시이기에

나는 한 번도 되어본 적 없던 시의 마음을 알게 되었습니다

당신이 아니었다면 나는 그저 지푸라기였을 것이고

당신이 나를 불러주지 않았더라면

당신을 위한 나의 간절한 맘도 물이 되지 못했을 겁니다

사랑하고 있어도 더 사랑하고 싶은 그대여

그대는 오늘도 시가 무엇인지 모르는 나에게

유일한 친구가 되어 나의 쓸쓸함을 환히 비춰줍니다

들끓는 삶의 하루 중에서

들끓는 삶의 하루 중 득달같이 쏟아버린 맘

사랑 캄캄해진다, 마치 꿈을 꾼 것같이 어둡다

희미해지는 아쉬운 맘

우리 더는 사랑 같지만은 않던 짧은 기척을 남기면

사나흘 꿈을 헤쳐보던 기적 소리 들려온다

너무 착하기만 하면 난 싫어요

바닥난 가슴에 살을 찌운 외로움들처럼

귀밑머리 작은 슬픔에 내버려진

그대와의 노랫소리 아슴푸레 번져와

안녕 무수한 사랑의 날들이여

이미 몇 번의 고통 지나고 흩어지던 계절 속 시절

한 사람 지키던 예쁜 맘

마침내 그대와 날 용서하는 일

사람 냄새 나는 그런 사랑 하고 싶다던

가눌 수 없는 노래 바람에 뜨는 맘

살면서 몇 번의 사랑을 하고 혼자만의 집으로 이별을 한다

부단한 네 모습들과 세월에 잠시 눈 붉힌다

사랑 때문에 다시 울지 않아

긴 하루를 견디는 말

얼마나 견딜까, 가슴을 놓친 운명에

무작정 따라 걷다 보면 어느새 그리워지는 또 달뜬 맘

들끓는 삶의 하루 중 득달같이 쏟아버린 맘

슬픈 꿈만 같던 오늘에 깬다

이 미지근한 감정에 사랑은 없지만

주문은 다 끝났어

오늘의 메뉴는 뜨겁지도 차갑지도 않은 마음

반대의 반대를 무릅쓰고 시작된 연애엔

싱거운 뒤풀이만 남아 있었지

하루가 멀다 하고 배달을 나간 추억들은

이제 와 뭘 그리 바쁘게도 살려는지

너 없는 시간을 만남의 광장에서 보냈지만

널 대신할 사람은 세상 어디에도 없는 걸

꽤 서러워진 네게서 멀어지던 풍경

반대로 걷는 우리 인연은

식지 않은 채 물려버린 이별의 맛인 것만 같아

어디까지가 이 식도락 여행의 끝인 걸까

바다를 내다보는 내 깊은 허전함뿐

미리 와 준비했던 넌

오늘의 만만한 자존심을 금방이라도 꺾어놓듯

눈물의 눈물로 애원했고 멀어진 이 이별엔

무거운 감정만이 들끓고 있겠지

잘 지내 내 마지막 주문은 그런 거야

이제 우리의 시작도 마감할 운명에 다다랐으니까

주방은 언제나 축축하고 우리가 만든 홀은 블랙홀이 되

어가

서로가 먼지처럼 껴안은 많은 날들만 있었을 뿐

괜찮다는 말 그 말을 수거하러 왔어

이 미지근한 감정에 사랑은 없지만

이별에 대한 예의를 갖추고 싶어

그게 내가 네게 바라는 마지막 주문이니까

*

반신욕

비가 내려온다, 외로운 손끝에 닿는 것

안간힘이 담긴 오늘이 흘러넘친다

조용히 몸을 담근 채 내게서 멀어지는 빗소리를 듣는다

처음부터 이미 정해진 우리의 운명

아득한 계절이 훌쩍 자라고 있다

낡고 조그마한 욕조 속에서 네 플레이 리스트를 들으면

잊히고 잊혀졌던 지난날들이

돋고 있던 새살을 지워가듯 망설이고 만다

추억이라는 어스름에 불을 끈다 바람을 머금는다

나조차도 머나먼 대답 없는 꿈들

차가운 유리 벽에 새겨진 부대낌이 남긴 어제가 쏟아져
내린다

이 도시를 여행하다 지쳐올 때

이제는 씻고 싶어 눈물겨울 때

네가 내게서 가져간 기억들을

비눗물에 적시면 비눗방울 날아오른다

가슴이 울어도 내색할 수 없는 밤들

끝없이 다가가도 닿을 수 없는 인연

깊어진 못처럼, 그걸 닮은 눈시울처럼

나 영원히 잠길 수만 있다면

꺼질 것 같던 마음도 환한 얼굴이 되어

이토록 찬란히 가슴에 심어진다

네가 살았던 우리의 풍경

그 추억들이 물들어간다

갈 곳을 잃은 지금의 나처럼

네가 울었던 모든 시간은

서로의 아픔에 조각으로 묻어나고

나 그대에게 불이 되었던

가슴 아픈 계절이 오면 잠 못 들어

미련이 남아도 감출 수밖에 없는 날들

떠돌아 돌아온 계절처럼 지친 채

차가운 인사처럼 그런 안녕들처럼

나 아파도 멈출 수만 있다면

붉은 꽃처럼 행복을 바라지는 않을 텐데

그대 들었던 나의 노래는

내 맘에 비친 그리움으로 전해질까

그대여 아직 오지 않는 나의 살결이여

우직한 댓살은 깊고도 아득하고

넓고 깊은 생각과 마음은 아련하지만

나의 힘과 피를 빼고 오로지 정신으로 마음으로 혼으로

그대란 우주에 담백한 몇 마디를 남깁니다

나의 처음과 마지막이며 전부인 그대에게

드릴 것 하나 없는 빈털터리지만

그대의 은혜로 나 새롭게 태어나

오로지 그대만을 바라고 사랑하며

그대만을 위한 작은 귀걸이가 되려고 합니다

그대의 고요에 들어가 우는 것이 아니라

그대의 눈시울에 머뭇거려 방황하는 것이 아니라

그대의 행복을 위해 목숨을 다하는

푸른 눈가에 새겨진 저녁노을이 되고 싶습니다

그대가 정녕 나를 까맣게 잊는 날이 찾아온대도

그 자리에서 오늘의 폭설을 맞이한대도

나는 진눈깨비처럼 흩어져 당신 곁에 머무는

작고 하찮고 보잘것없는 먹울음이 되고 싶습니다

그대여 나를 녹여 그대가 행운을 가질 수 있다면

나는 오래 그치지 않는 돌 인형이 되겠습니다

나의 비린 고백을 심장 속에서 영원히 흐느끼겠습니다

껴안고 있어도 또 한 번 가슴에 치이고

울컥하고 차오르는 그댈 나는 죽어서도 시라고 부르고

그대는 살아서도 나를 안녕이라고 부릅니다

내가 그대를 가져도 갖지 않은 것은

나의 시가 한없이 그대를 가두지 않고

당신으로 하여금 우리의 시가 깊은 만년설처럼 쌓이길

원하기 때문

흠뻑 고개 숙이던 날에도 그대는 햇살처럼 나를 부르고

나는 살 떨리는 호흡으로 완전한 방에 와 있습니다

내가 시에게 함몰되는 순간을 만나면

그때 비로소 당신에게 나는 외로운 잇닿음이 되리라

철철철 흘러넘치는 시의 골짜기에서조차

나는 쉰 목소리로 그대 이름을 부르는

한 마리 작은 산짐승의 어린 구개음이 되고 싶습니다

그대여 아직 오지 않는 나의 살결이여

나의 살가죽마다 새겨놓은 오롯한 주홍 글씨여

우리 참 예쁘게 늙자

아직 이런 말 하기 이른 건 알지만

언젠가 너와 내가 함께 늙어가는 장면을 떠올리곤 해

우린 나무처럼 나뭇가지처럼 그림자처럼

서로의 편에서 함께 쉬어 가자

시간에 쫓기다 서로를 버리지 말고

돈을 탐내다 서로를 가리지 말고

일에 치이다 서로를 잃지 말고

한줄기 서늘한 꽃비처럼 여우비처럼

서로의 가느다란 손을 잡고

한 걸음씩 생을 다해 우리 참 예쁘게 늙자

그대의 숨소리만으로도 우리가 얼마나 사랑하고 있는지

를 안다

우리의 하나뿐인 눈과 귀가 먹을지라도

나는 그대라는 악보 속에서

도돌이표처럼 그대 곁을 오고 가는 계절이고 싶다

그래서 죽는 순간까지 마지막까지 그대 곁을 돌보다가

내 젊은 날의 사랑과 이별이 다하지 않았음을 선포하고

곧 그대를 따라 세상의 쉼표를 마치고 싶다

아, 아득하여라 짧은 인생이여

코미디 분장 같은 그 점잖은 나이 듦에 난 그대의 미소가
더욱 시리다

그대여 우리는 시계도 하나 없이 시인처럼 바람처럼 살
아가는구나

한때 나를 꾸미고 가꾸던 날들이 있었지

그러나 지금 그것들보다 우리는 서로를 더 소중히 여기
기에

희디흰 우리의 맨발이 너무 사랑스러워

우리만의 속도로 시차로 살아가면서

우리의 아젠다는 소소해지고 말았지만

서로의 가슴속에 새겨진

고운 말들은 당신을 향한 나의 밑천이라서

당신에게 사랑보다 깊은 마음을 전해주고만 싶었어

사랑이 별 대수냐고 묻는 사람들에게는

같은 길을 걷고 같은 시대를 살아내는 중이라고

나는 밤하늘의 별이 따갑도록 우는 것만 같아

매미가 아직 우리 곁에서 우는 것처럼

이번 여름은 서로에게서 너무 멀어지지 말자

칠흑 같은 어둠이 와도 그때 우리 더욱 빛나도록 사랑하자

그래 겨울이 와도 눈이 내려도 우리 시리도록 예쁜 사랑
하자

사랑에 흠뻑 빠진 내게 이별을 선물하다

1

미친 사랑이라고들 했었지만

너는 사랑에 흠뻑 빠진 내게 이별을 선물했다

나의 부족한 글쓰기 방향에 파문을 던지듯이

단번에 수박을 갈라 붉은 속을 맞추듯이

아프게도 너는 내 감정에 자유를 만들어주기 위해

둥지에서 과감하게 나를 떨어뜨렸다

내 사랑 시가 부족해서가 아니라

그대가 나를 사랑하지 않아서가 아니라

투박한 글을 쓰는 내게 너는 이별의 감정을 더해주고 싶은 거라 했다

손끝으로 눈물로 피맺힘으로

좋은 시인이 되라며 너는 내게 헌신을 다한 것이었다

처음 그 의미를 깨닫지 못했을 때

나는 네게 다하지 못한 마음과 말들과 울먹거림을

철필로 껴안고 한 줄도 적지 못한 채 떨고만 있었다

이별이 무엇인지 모르는 사람이 어디 있으랴

그러나 생각해보면 이별을 선물해준 당신들이 있었기에

내 사랑 시는 결단코 지지 않는 열심을 만들어내는 것이다

2

너의 발가락 끝 발톱을 깎아주던

그런 여름밤이었다

사랑하기에 너무 사랑스러웠던 서로의 치부는

우리의 살갑고 아름다운 시절 같아서

나는 아슬아슬한 감정을 붙잡고 너를 더욱 사랑했다

네가 감겨주는 샴푸를 하고

함께 이를 닦고 세수를 하고

그저 좋은 재료로 아낌없이 너를 위해 요리했던

우리의 추억을 겹겹이 더하면 시간은 기도가 된다

모든 삶에 점철된 머뭇거림부터

서로의 눈빛만 봐도 알 수 있었던 애틋함까지

우리는 근원지를 알 수 없는 모래바람과 동거하는 것이다

그대에게 부담드리지 않으려고

너무 오랜만이라서 반가웠고

숱한 날들이 걱정되어서 불쑥 선을 넘고 있었나 봐

우리 아직 연인 사이는 아니지만

연인이라는 말 참 좋지요 참 오랜만에 듣는 말이네요

그 말 제게도 허락되면 좋겠어요

내 영혼을 담은 맘을 이렇게 전하게 되네요

부러진 컵처럼 어긋난 이유를 사랑의 만년설로 덮어주면 안 될까요

다시 불 속으로 들어가 녹아서 전보다 강한 그리움에 물들어버린

그런 사랑 우리 시작하면 안 될까요

다시 또 아름다움을 생각나게 해주기에

그댄 충분히 사랑받을 사람

그대에게 부담드리지 않으려고

네 마음에 지운 짐 다 내가 가져가려고

사랑해 그 한마디조차 하지 못한 바보

그게 나라서 저릿해지는 기분

떠날 수 없는 운명인 걸 알았을까

아스라이 지는 밤의 끝은 어딜까

불가능한 사랑이 시작되는 것만 같아

끝이라고 생각했던 그곳에서 우리가 태어나

엇갈리고 헤매다가 맴돌기만 하던 우린

아직 서로를 잊지 못해 애를 태웠어

이제 다시 그대를 붙잡지 못하는 걸까

날 봐요, 우리 여기 사랑이 다시 시작되는 걸요

그대 가슴에 세 들어 살고 싶은 나

그대 없이 평안해지지 않으려고

내 마음에 무겁게 돌을 달아 떠나지 않으려고

그대 그대 그대 그리운 노래

얼비친 두 눈에 새겨진 그때의 바다

우리가 착하게 헤어졌던 건

떠나간 파도가 다시 불어올 것이기 때문

이렇게 사랑하다 죽어도 후회가 없다고

무수한 고비를 다 견뎌낸 후

우리는 꽃을 알게 되었습니다

눈물이라는 고귀한 꽃말을 가슴에 달고

내가 그대 곁에서 흐느껴 울던 순간들이

이제는 가을보다 더 가을 같은 그리움을 남깁니다

무더위를 보내지 않았더라면

나는 그대에게 아무것도 아닌 사람이었을 것입니다

우리가 날마다 성장하고 있다는 것은

이렇게 사랑하다 죽어도 후회가 없다는 뜻이라

오, 나의 사랑이여 이 계절이

나를 들판에서 무릎 꿇게 만듭니다

계절의 어머니여 나의 서러운 사랑이여

그대가 이토록 아름다운 것은

우리가 우주 밖에서부터 헤아림으로 익어가기 때문이기에

나는 따스한 가을바람에 취해

나의 하나뿐인 당신을 아내로 맞이한 것입니다

내가 길을 잃어도 걸음을 멈추지 않는 것은

깊어가는 사랑의 눈먼 마음이 새벽달을 바라보기 때문입니다

알람을 맞추지 않아도

우리는 서로의 부스스한 민낯의 근력으로

오늘도 눈을 뜨고 얼굴을 부빕니다

간밤 고단한 내 잠꼬대에 잠을 설쳤을 텐데도

그대는 오늘도 뜬눈으로 나의 만유인력이 되어줍니다

아침은 우리에게 역사적인 순간이며

그것이 지금의 우리를 감동으로 살아가게 만듭니다

그대의 어깨에 얼굴을 묻고

내가 꾼 꿈속에서 그대를 다시 만나

우리의 젊은 날을 반성했던 것은

날마다 그대가 나를 살아 숨 쉬게 만드는 샛별이었기 때문입니다

오로지 나의 마음을 뛰게 하고 아프게 하는

오직 내 영혼에 사는 사랑의 백신이여

아스라이 꽃이 지고 대답이 없었다

어느 늦은 가을밤

조금 전까지는 내 사랑이었는데

어느 날 문득 잠에서 깬 뒤

하염없던 그 사랑이 빈집이 되었다

자꾸만 아픈 곳에서 눈물이 난다

자꾸만 보이지 않는 먼 곳에서 그리움이 묻어난다

피할 길 없는 벼랑에 선 마음들이

이리저리 방황하며 내내 너를 부른다

휘청거리던 시절이 많아서

제대로 물 주고 아껴주지도 못했는데

이제 와 네게 전하는 어떤 말이 무슨 의미가 있을까

사랑 때문에 전부를 걸었던

내 젊은 날의 시린 가슴이 환해지더라

어느 오랜 지난날 돌이킬 수 없던 소중한 운명은

어느 날 지친 하루를 살다

아스라이 꽃이 지고 대답이 없었다

어떤 고해도 다 식었겠지만

네가 내게 처음 온 날 그 순간들만은

아득한 그 너머에 살고

식어버린 풍경 사이로 가슴이 다시 뛴다

이제 우리 화병 속에서
행복한 이야기를 해요

그래 거기쯤일 거야

문득 가문비나무 그늘 아래 우리가 아파하던

너덜너덜한 옛 시절을 비비며 서로를 위로하던 곳

그때 너는 내게 말했었지

그대 더는 애쓰지 말아요

이제 우리 화병 속에서 행복한 이야기를 해요

내가 네게 헌신을 다하겠다는 다짐을 했던 건

우리의 울컥거림이 뼈저리게 사무쳤기 때문

나의 우악스러움은 너의 눈동자 속보다 한없이 가벼웠

기에

나는 너와 사는 내일이 얼마나 그립던지

손톱 끝에 스치는 그런 사랑이라도 있다면

나는 긴 하루를 네게 바칠 수 있어 행복할 것이다

그대여 우리의 상처가 늘 축축이 젖어 있는 건

그곳에서 우리라는 꽃 시절이 메마르지 않으리란 의미
이다

나 아직도 낯설어

우리의 우연이 오랜 필연이 되었다는 것이

그대는 늘 마지막이라고 나를 부르고

나는 늘 그대가 안쓰러워 구슬픈 연가를 부르네

지지 않는 그대여 나를 위해 맴도는 어린 사랑이여

피할 수도, 맞닥뜨릴 수도 없는 우리의 운명은

아직 내내 번져가는 중이기에

나 물들었던 자리마다 그대를 닮은 눈웃음의 흔적이고
싶어라

내가 오늘 하루에 부대껴

꾸벅꾸벅 졸음에 겨워하고 있을 때에도

그 겨움을 가만히 따라 걷고 있는 그대의 숲에 들어선 것은

처음이라는 말, 그 화병 같은 설렘으로 황홀했던

황금빛 사원에서 그대를 종교로 삼은 것은

나의 바람 같은 이유로 불탄 이름이 있기 때문이다

눈꺼풀에 매달려 휘청거리는 삶이었지만

오늘도 그윽하게 나를 울타리 안에서 섬기는

그대의 빗장을 나는 거부할 수 없다

멀리 있으면 더욱 떨리는 가냘픔들이

우주의 처마에서 이제 막 떨어지는 새하얀 이삭처럼

아, 나는 지상 최대의 애틋함으로

흠뻑 눈물을 머금고 있다

서로의 춤을 받아주는 것만으로도

초판	1쇄 발행 2024년 4월 23일
지은이	조다움
펴낸이	안병현 김상훈
책임편집	강현지
마케팅	신대섭 배태욱 김수연 김하은
제작	조화연
2차 저작권 문의	강현지 김정연

펴낸곳	주식회사 교보문고
등록	제 406-2008-00090호(2008년 12월 5일)
주소	경기도 파주시 문발로 249
전화	대표전화 1544-1900
주문	02)3156-3665
팩스	0502)987-5725

ISBN 979*11*7061*129*5 03810

연재부터 출간까지 올인원 플랫폼 창작의날씨
본 도서는 교보문고 창작의날씨 출간 프로젝트에 선정된 우수 작품입니다.